对外汉语短期组合式教材

相会在中国
MEETING IN CHINA

1 实用汉语读写课本
Practical Chinese: Reading & Writing

主　编：邓恩明
副主编：吴春仙　刘社会
编　著：（按音序排列）
　　　　陈若凡　邓恩明　李宏
　　　　刘社会　吴春仙

北京语言大学出版社
BEIJING LANGUAGE AND CULTURE
UNIVERSITY PRESS

图书在版编目（CIP）数据

实用汉语读写课本·第1册/吴春仙等编.-2版
-北京:北京语言大学出版社,2008.3
（相会在中国/邓恩明主编）

ISBN 978-7-5619-2036-7

Ⅰ.实… Ⅱ.吴… Ⅲ.①汉语-阅读教学-对外汉语教学-教材
②汉语-写作-对外汉语教学-教材 Ⅳ.H195.4

中国版本图书馆CIP数据核字（2008）第026483号

书　　名：	实用汉语读写课本·第1册
中文编辑：王　轩	英文编辑：武思敏
封面设计：	03 工舍
责任印制：	汪学发

出版发行：北京语言大学出版社
社　　址：北京市海淀区学院路15号　邮政编码：100083
网　　址：www.blcup.com
电　　话：发行部 82303650/3591/3651
　　　　　编辑部 82303647
　　　　　读者服务部 82303653/3908
　　　　　网上订购电话：82303668
　　　　　客户服务信箱：Service@blcup.net
印　　刷：北京画中画印刷有限公司
经　　销：全国新华书店
版　　次：2008年3月第2版　2008年3月第1次印刷
开　　本：889毫米×1194毫米　1/16　印张：9.25
字　　数：147千字　印数：1－3000册
书　　号：ISBN 978-7-5619-2036-7/H·08025
定　　价：28.00元

凡有印装质量问题，本社负责调换。电话：82303590

前　言

《相会在中国》是供外国人在其本国以外环境中学习汉语使用的教材。本套教材采用"组合式"。入门阶段横向有"入门课本""入门复练课本"和"汉字练习本"。这阶段的各课本均为 10 课,主要讲授汉语语音及最基本的汉字知识,进行初步简单交际训练。在入门阶段之上编写了初级阶段的口语、听力、读写三种平行课本(各 30 课),形成了同一阶段的横向组合和不同阶段的纵向组合。这套组合教材的长处有如下几点:

一、语料量大,可增加已知信息的输入量,有利于学生习得能力的发挥。横向组合的各课本的语言点和词语基本重合,生词的重合率在 70% 左右,而课文内容却迥然有别。这样可以保证在不同技能课本中,有大量已知信息的重现,学习者通过不同的课型,可以综合提高交际能力。

二、能抓住各语言要素和各项言语技能进行集中有效的训练。"口语课本"是本套教材的核心,学习者通过学习会话及成段课文,可以掌握汉语基本语法,从而提高会话能力。"听力课本"以功能项目为线索,组织对话体课文,集中培养学习者听汉语的能力,同时伴以说话能力的提高。"读写课本"从汉字结构入手,突出汉字部件教学,使学习者逐渐掌握部件组合汉字的规律,以认字、用字为基础,进行认读句、段的训练并逐步提高写作能力。这样,听、说、读、写四项技能既分项集中训练,又兼而发挥技能之间的关联和促进作用。

三、使用上具有灵活性。各种课本之间有着内在的联系,可以按不同技能进行教学,结合在一起又可达到综合教学的目的。因此在学校的教学中,可以依照不同阶段、不同课型使用全套教材。考虑到国外各地教学体制不同以及学习者的个性要求,不同技能的课本之间又各自保持相对的独立性,学习者可选用某一种课本循序渐进地学习。即便是"入门课本",也可单独使用,满足短期学习者(如到中国作短期旅游者)对汉语"浅尝辄止"的要求。

以上几点是我们编写之初对这套"组合式"教材的设想,也是我们在编写过程中始终追求的目标,敬请读者提出宝贵意见,以利于今后改进。

　　本套教材在成书过程中曾得到北京语言大学领导的关怀和专家们的指教,全书的英文翻译由何昕晖女士完成,熊文华女士审阅部分译稿,金惠宁女士参加了前期的部分工作,在此一并致谢。

编　者

Preface

Meeting in China is a series of course books for foreigners who study Chinese outside their native countries. This series of course books is composed of a horizontal organization and a vertical one. In the horizontal line of the beginning stage there are *An Elementary Course*, *An Elementary Workbook*, and *An Elementary Workbook on Chinese Characters*. Each of them consists of 10 lessons. They mainly deal with the phonetics of the Chinese language, basics of Chinese characters and the simple everyday communication drills. In the vertical line of the series there are three parallel textbooks of the spoken Chinese, listening comprehension, and reading and writing, which are of a higher level. (Each of them contains 30 lessons), thus forming the horizontal and vertical lines of the same and different stages. This series of course books has the following advantages:

1. Large language corpora. The corpora add to the learners' input of given in formation, which is to the advantage of the demonstration of their acquired knowledge. The language points and the words and expressions are basically identical in the various textbooks of the same level. The coincidence rate for the training of the vocabulary amounts to 70 percent, but the contents of the texts are diametrically different. Such an arrangement guarantees a high frequency of reoccurrence of the given information in the textbooks for the training of different language skills, enabling the learners to improve their comprehensive communicative competence.

2. Efficient practice. The fundamental language elements and various language skills have been integrated together for intensive practice. The oral textbook is the core of the series. It is intended for the learners, through dialogues and texts, to understand the basic grammar and thereby upgrade their competence in oral communication. The listening textbook is based on the functional items of the language. Conversational texts are designed to train the learners' hearing ability, and simultane-

ously to improve their speaking ability. The reading and writing textbook starts from the structure of Chinese characters, with its focus on the teaching of their components. The learners are supposed to understand the rules of constructing the Chinese characters through the composition of different components. After the learners can recognize and use these words, they are prepared to read related sentences and then paragraphs. Practicing writing is also gradually introduced. In this way, the skills of listening, speaking, reading and writing are independently practiced and they interact to improve each other.

3. Flexibility. Each of the texts can be taught independently on the basis of the related language skills, and if combined, they can achieve the purpose of the comprehensive teaching. So this series can be used according to the different stages and types of texts. Catering to the different teaching systems in different countries and the individual requirements of the learners, the textbooks are compiled independent of each other. The learners can select any of them and proceed step by step. Even the preliminary textbooks can be used independently, so that the short-term learners (like foreigners travelling in China) can make use of the books to satisfy their needs of obtaining the basic knowledge about Chinese.

The above-mentioned are our initial considerations for this series of course books and they are also the objectives we try to achieve in the course of compilation. The readers' comments and suggestions for improvement are appreciated.

We would like to express our heart-felt thanks to the leaders and experts of Beijing Language and Culture University for their instructions. Our thanks also go to He Xinhui, who did the translation; Prof. Xiong Wenhua, who read over carefully part of the translation; and Ms. Jin Huining, who took part in the preparation work.

Compilers

使用说明

　　《相会在中国——实用汉语读写课本》是继"入门课本"之后,进行分技能训练所使用的教材。它既可以与"口语课本""听力课本"配套使用,同时又具有相对的独立性,也可以单独使用。

　　本书的目的是培养学习者汉语"读"和"写"两方面的技能。在本阶段,"读"的技能包括认读汉字、词语、句子和语段。每课设有两篇课文,在此基础上,配有足量的认读练习,以保证一定的阅读量和词语的重现率。语料选择力求自然、实用和有趣。至于"写"的技能,本阶段的重点是培养学生的汉字书写能力。针对学习者"写"汉字难的特点,本书尝试对汉字进行部件教学。书中对所有生字进行了结构分析,以部件为单位进行切分,便于学习者对汉字部件的整体记忆和对汉字结构规律的掌握。为满足学习者学写汉字的需要,本书展示了每一部件的笔画和笔顺。

　　"读写课本"第一、二册每册 15 课,每课包括生词、课文、汉字结构分析、练习等几部分。建议学时 4 学时 / 课。

编　者

Introduction

Meeting in China—Pratical Chinese: Reading and Writing is to be used after learning *An Elementary Course*. It aims to train different language skills separatedly. It can both be used together with the oral and listening textbooks and used independently.

This book aims at developing the learners' reading and writing competences in Chinese. The reading skills consist of learning to read Chinese characters, phrases, sentences and paragraphs. With two texts in each lesson, it also has a large number of practices to ensure the amount of reading materials and the recurrence of vocabulary. The language teaching materials are natural, practical and interesting. The part of writing skill focuses on developing the students' competence to write Chinese characters. This book adopts the teaching method of dividing characters into different components to help the learners overcome the difficulties in writing Chinese characters. It analyzes the structures of all the new characters in this book. By dividing each Chinese character into different components, it enables the learners to remember the character components holistically, and master the rules of the character formation. To meet the learners' needs on learning Chinese characters, it illustrates the strokes and stroke order of every character component.

Reading and Writing textbook consists of two volumes, each having 15 lessons. Each lesson is composed of text, new words, analysis of the structures of Chinese characters and exercises, etc. The suggested teaching hours is 4 class hours per lesson.

Compilers

目 录
CONTENTS

第 一 课　**Lesson 1**　　他是加拿大人 ………………………………… 1

第 二 课　**Lesson 2**　　李爱华去北京友谊商店 ………………… 8

第 三 课　**Lesson 3**　　陈亮还没有女朋友 …………………… 16

第 四 课　**Lesson 4**　　营业员给他一张收据 ………………… 24

第 五 课　**Lesson 5**　　她喜欢吃咸的 ………………………… 32

第 六 课　**Lesson 6**　　一张票六十块钱 ……………………… 40

第 七 课　**Lesson 7**　　我一定请你们参加 …………………… 48

第 八 课　**Lesson 8**　　约翰每天都忙得很 …………………… 55

第 九 课　**Lesson 9**　　他网球打得好极了 …………………… 63

第 十 课　**Lesson 10**　2 号楼有 24 层 ………………………… 71

第十一课　**Lesson 11**　我正在北京学习 ……………………… 78

第十二课　**Lesson 12**　小冬只会打字 ………………………… 85

第十三课　**Lesson 13**　最好的生日礼物 ……………………… 92

第十四课　**Lesson 14**　老奶奶的病好了 ……………………… 100

第十五课　**Lesson 15**　你们可能就要输了 …………………… 108

生词总表　**Vocabulary** ………………………………………… 115

Lesson 1

第一课　他是加拿大人

生　词　New Words

1. 名字	（名）	míngzi	name
2. 叫	（动）	jiào	to call, to name
3. 留学生	（名）	liúxuéshēng	foreign student
4. 介绍	（动）	jièshào	to introduce
5. 一下儿		yí xiàr	*used after a verb, indicating an act or an attempt*
6. 小姐	（名）	xiǎojie	miss
7. 孩子	（名）	háizi	child
8. 学校	（名）	xuéxiào	school
9. 学生	（名）	xuésheng	student
10. 家	（量）	jiā	*a measure word*
11. 公司	（名）	gōngsī	company
12. 职员	（名）	zhíyuán	employee, staff member
13. 累	（形）	lèi	tired
14. 爱人	（名）	àiren	husband（or wife）, spouse
15. 姐姐	（名）	jiějie	elder sister
16. 中学	（名）	zhōngxué	middle school
17. 太	（副）	tài	too
18. 小学生	（名）	xiǎoxuéshēng	pupil

专 名 Proper Nouns

1. 加拿大	Jiānádà	Canada
2. 美国	Měiguó	the United States
3. 李爱华	Lǐ Àihuá	Li Aihua
4. 北京语言大学	Běijīng Yǔyán Dàxué	Beijing Language and Culture University
5. 约翰	Yuēhàn	John
6. 李秋	Lǐ Qiū	Li Qiu
7. 英语	Yīngyǔ	English
8. 王京	Wáng Jīng	Wang Jing

课 文 Texts

课文一　他是加拿大人

　　我是美国人,姓李,我的中文名字叫李爱华,是北京语言大学的留学生,我学习汉语。我介绍一下儿,这位先生是我朋友,叫约翰,是加拿大人,他也学习汉语。那位小姐是我妹妹,叫李秋,是我叔叔的孩子。她不是美国人,是北京人,也是我们学校的学生,她学习英语。

课文二　他们的孩子叫王京

　　王先生是中国人,他是一家公司的职员,很忙,也很累。他爱人是约翰的姐姐,她是中学的英语老师,不太忙。他们的孩子叫王京,是小学生。他说汉语,也说英语。

一、生字的结构分析　Structural analyses of the new words.

生字	读音	结构分析		
		部件	笔画和笔顺	
拿	ná	合	丿 人 𠆢 合 合 合	
		手	一 二 三 手	
累	lèi	田	丨 冂 日 田 田	
		糸	𠃋 𢆶 幺 幺 糸 糸	
绍	shào	纟	𠃋 𢆶 纟	
		召	（刀口）フ 刀 刀 召 召	
美	měi	䒑	丷 丷 丷 丷	
		大	一 ナ 大	
留	liú	卯	𠂢	丶 𠂢 𠂢
			刀	フ 刀
		田	丨 冂 日 田 田	
爱	ài	爫	丷 丷 丷 爫	
		冖	丶 冖	
		友	一 ナ 方 友	
孩	hái	子	フ 了 子	
		亥	丶 亠 亠 亥 亥 亥	
职	zhí	耳	一 丁 丌 耳 耳 耳	
		只	丨 冂 口 尸 只	
家	jiā	宀	丶 宀 宀	
		豕	一 丆 丁 丂 豕 豕 豕	

二、部分汉字的部件切分　Segmentation of some of the characters.

1. 姐　jiě ——— 女 且 　　2. 夸 lǐ ——— 大 子

3. 校　xiào ——— 木 交 　　4. 华　huá ——— 亻 七 十

5. 说　shuō ——— 讠 兑 　　6. 员　yuán ——— 口 贝

7. 英　yīng ——— 艹 央 　　8. 语　yǔ ——— 讠 五 口

三、常用部件举例　Examples of the common components.

1. 亻：你 作 他

2. 讠：请 谁 谢

练 习　Exercises

一、认读练习　Recognize and read the characters.

1. 连线识字　Match each character with its corresponding *pinyin* and draw a line to connect each pair.

木	bù		边	zhè
本	mù		进	yùn
不	běn		这	jìn
大	xiǎo		运	biān
夫	shǎo		姐	zū
小	fū		租	jiě
少	dà		个	jiè
			介	gè

2. 根据下列拼音连线组词　Make phrases by matching the given characters according to *pinyin* and draw a line to connect each pair.

（1）qìchē 　　（2）yùndòng 　　（3）péngyou 　　（4）yóuyǒng

（5）Hànyǔ 　　（6）yínháng 　　（7）yóujú 　　（8）diànyǐng

（9）jièshào 　（10）xuéxiào

汉　影
银　局
电　语
邮　行
汽　泳
运　友
游　车
朋　动
介　校
学　绍

3. 给下列句子注音并朗读 Transcribe the following sentences into *pinyin* and read them aloud.

(1) 我介绍一下儿,我姓李,叫李爱华。

_____.

(2) 我是加拿大留学生,我学习汉语。

_____.

(3) 王先生是一家公司的职员。

_____.

(4) 李小姐是中学的英语老师。

_____.

(5) 李先生的爱人是大夫。

_____.

4. 选择合适的字或词填空 Fill in the blanks with the proper characters or phrases.

(1) 这是他的电话号_____。　　　　(a. 吗　b. 码　c. 妈)

(2) 那不是_____局。　　　　　　　(a. 游　b. 有　c. 邮)

(3) 你买_____本汉语词典？　　　　(a. 几　b. 儿　c. 九)

(4) 你_____一下儿那位小姐吧。　　(a. 知道　b. 介绍　c. 学习)

(5) 李爱华是美国人,他学习汉语,是_____留学生。

　　　　　　　　　　　　　　　　　　(a. 中国　b. 美国　c. 北京)

(6) 伯母是伯父的_____。　　　（a. 爱人　b. 姐姐　c. 妈妈　d. 妹妹）

二、阅读练习　Reading exercises.

1. 从 A、B、C 中选择符合所给句义的句子　Choose a sentence close in meaning to each of the given statements.

例　Example: 李秋是大学生。（ B ）

A. 李秋是留学生。

B. 李秋是学生。

C. 李秋是老师。

(1) 王老师是我的汉语老师。（　　）

A. 王老师学习汉语。

B. 王老师是我的英语老师。

C. 我的汉语老师姓王。

(2) 他是我叔叔的孩子。（　　）

A. 他是我哥哥的孩子。

B. 他爸爸是我叔叔。

C. 他是我伯父的孩子。

(3) 我学习英语,他也学习英语。（　　）

A. 我学习英语,他学习汉语。

B. 我们都学习汉语。

C. 我们都学习英语。

(4) 王先生的爱人是大夫。（　　）

A. 王先生是大夫。

B. 王先生的爱人是老师。

C. 王先生的爱人在医院工作。

(5) 他是北京语言大学的留学生。（　　）

A. 他是学生。

B. 他是中国学生。

C. 他是大学的工作人员。

(6) 王小姐是他妹妹。（　　）

    A. 他是王小姐的哥哥。

    B. 他是王小姐的弟弟。

    C. 王小姐是他姐姐。

2. 根据课文一判断正误　Decide whether the following statements are true or false according to Text One.

(1) 李爱华是北京大学的留学生。   （　　）

(2) 李爱华是美国人。   （　　）

(3) 李爱华是李秋的弟弟。   （　　）

(4) 李秋的爸爸是李爱华的伯父。   （　　）

(5) 李秋是留学生。   （　　）

(6) 约翰也是美国人。   （　　）

(7) 约翰也是留学生。   （　　）

(8) 约翰是李秋的哥哥。   （　　）

3. 根据课文一选择合适的词语填空　Fill in the blanks with the proper words or phrases according to Text One.

(1) 李秋是＿＿＿＿＿＿。   （a. 老师　b. 留学生　c. 大学生）

(2) 李爱华是＿＿＿＿＿＿。   （a. 中国人　b. 美国人　c. 北京人）

(3) 李秋的爸爸是李爱华的＿＿＿＿＿＿。   （a. 伯父　b. 叔叔　c. 哥哥）

(4) 约翰学习＿＿＿＿＿＿。   （a. 英语　b. 日语　c. 汉语）

4. 根据课文二判断正误　Decide whether the following statements are true or false according to Text Two.

(1) 王先生是加拿大人。   （　　）

(2) 王先生是美国公司的职员。   （　　）

(3) 约翰的姐姐是王先生的爱人。   （　　）

(4) 王先生的爱人是大学的汉语老师。   （　　）

(5) 王先生的儿子是大学生。   （　　）

(6) 王先生很忙。   （　　）

Lesson 2

第二课　李爱华去北京友谊商店

生　词　New Words

1. 友谊	（名）	yǒuyì	friendship
2. 商店	（名）	shāngdiàn	shop
3. 有名	（形）	yǒumíng	famous
4. 到	（动）	dào	to arrive
5. 地铁	（名）	dìtiě	subway
6. 下车		xià chē	to get off a vehicle
下	（动）	xià	to get off
7. 热闹	（形）	rènao	lively; bustling
8. 工艺品	（名）	gōngyìpǐn	handiwork
9. 部	（名）	bù	department
10. 买	（动）	mǎi	to buy
11. 多	（形）	duō	many
12. 招聘	（动）	zhāopìn	to invite applications for a job
13. 古玩	（名）	gǔwán	curio
14. 营业员	（名）	yíngyèyuán	shop assistant
15. 应聘	（动）	yìngpìn	to apply for a job
16. 找	（动）	zhǎo	to look for
17. 经理	（名）	jīnglǐ	manager
18. 工资	（名）	gōngzī	salary
19. 高	（形）	gāo	high

20. 为什么		wèi shénme	why
21. 回答	（动）	huídá	to answer
22. 高兴	（形）	gāoxìng	happy
23. 告诉	（动）	gàosu	to tell
24. 明天	（名）	míngtiān	tomorrow
25. 上班		shàng bān	to go to work

专 名　Proper Nouns

1. 北京友谊商店	Běijīng Yǒuyì Shāngdiàn	Beijing Friendship Store
2. 建国门	Jiànguó Mén	*a place in Beijing*
3. 西直门	Xīzhí Mén	*a place in Beijing*
4. 张	Zhāng	*a surname*

课　文　Texts

课文一　李爱华去北京友谊商店

　　李爱华去北京友谊商店。友谊商店在建国门,是北京有名的大商店。他坐公共汽车到西直门,在西直门换地铁,到建国门下车。建国门很热闹。

　　李爱华到友谊商店工艺品部买工艺品。这儿的工艺品很好,买的人很多。

课文二　招聘

　　一家古玩商店招聘营业员,小张去应聘。他到商店找经理,经理介绍说,营业员的工作很累,工资也不太高,问他为什么来应聘。小张回答说,他很喜欢古玩,也喜欢这个工作。经理很高兴,告诉他,明天来上班。

一、生字的结构分析 **Structural analyses of the new words.**

生字	读音	结构分析		
		部件		笔画和笔顺
建	jiàn	聿		⁊ ⁊ ⺕ ⺕ 聿 聿
		又		⁊ 又
聘	pìn	耳		一 ⎡ 『 『 耳 耳
		粤	由	丨 冂 曰 由 由
			丂	一 丂
商	shāng	亠		丶 亠
		⅞		丶 ⅛
		冋		(冂 丷 口) 丨 冂 冂 冏 冏 冏 冏
经	jīng	纟		㇜ 纟 纟
		巠	⋜	㇜ ㇗ ⋜
			工	一 丁 工
理	lǐ	王		一 二 干 王
		里		丨 冂 曰 曰 甲 甲 里
答	dá	竹		㇒ ㇒ ㇏ ㇒ 竹 竹
		合		(人 一 口) ㇒ 人 ㇏ 合 合 合
谊	yì	讠		丶 讠
		宜	宀	丶 丷 宀
			且	丨 冂 冃 月 且
买	mǎi	一		一
		头		丶 丷 三 头 头

生字	读音	结构分析	
		部件	笔画和笔顺
业	yè	业	丨 丨丨 丨丨 业 业
直	zhí	十	一 十
		且	丨 冂 冂 目 目 且

二、部分汉字的部件切分　Segmentation of some of the characters.

1. 铁　tiě 　——　钅 失 　　　　2. 资　zī 　——　次 贝

3. 诉　sù 　——　讠 斥 　　　　4. 班　bān 　——　王 丿 王

5. 店　diàn 　——　广 占 　　　6. 到　dào 　——　至 刂

7. 地　dì 　——　土 也 　　　　8. 部　bù 　——　立 口 阝

9. 找　zhǎo 　——　扌 戈 　　　10. 玩　wán 　——　王 元

11. 营　yíng 　——　艹 冖 吕 　　12. 招　zhāo 　——　扌 召

三、常用部件举例　Examples of the common components.

1. 辶：边　道　运

2. 氵：汉　酒　汽

一、认读练习　Recognize and read the characters.

1. 连线识字　Match each character with its corresponding *pinyin* and draw a line to connect each pair.

艺	zhāo
聘	shào
找	yì
招	bān
绍	zhǎo
班	lǐ
理	pìn
建	gāo
店	yíng
高	jiàn
营	diàn

2. 根据下列拼音连线组词　Make phrases by matching the given characters according to *pinyin* and draw a line to connect each pair.

(1) shāngdiàn　(2) zhāopìn　(3) rènao　(4) gāoxìng　(5) dìtiě

(6) gàosu　(7) gōngzī　(8) shàngbān　(9) yíngyè　(10) jīnglǐ

地	聘
商	业
告	诉
招	店
营	铁
工	闹
热	理
上	兴
经	资
高	班

3. 给下列句子注音并朗读 Transcribe the following sentences into *pinyin* and read them aloud.

(1) 明天我姐姐去商店买工艺品。

_____.

(2) 李小姐在学校上班。

_____.

(3) 我们在建国门换地铁。

_____.

(4) 那家公司招聘营业部经理。

_____.

(5) 他坐公共汽车去友谊商店。

_____.

4. 选择合适的字或词填空 Fill in the blanks with the proper characters or phrases.

(1) 那个商店_____建国门。　　　　　（a. 在　b. 住　c. 到）

(2) 建国门很_____。　　　　　　　　（a. 高兴　b. 热闹　c. 舒服）

(3) 小王去那家古玩公司_____。　　　（a. 招聘　b. 应聘　c. 下车）

(4) 他很_____这个工作。　　　　　　（a. 喜欢　b. 上班　c. 古玩）

(5) 那个大学很_____。　　　　　　　（a. 回答　b. 喜欢　c. 有名）

(6) 他到公司_____经理。　　　　　　（a. 我　b. 找　c. 买）

二、阅读练习 Reading exercises.

1. 从 A、B、C 中选择符合所给句义的句子 Choose a sentence close in meaning to each of the given statements.

(1) 王先生的商店卖古玩,他是这家商店的经理。（　　）

　　A. 王先生是营业员。

　　B. 王先生是一家公司的经理。

　　C. 王先生是古玩商店的经理。

(2) 他坐公共汽车到建国门,在建国门换地铁。(　　)

　　A. 他坐出租汽车到建国门。

　　B. 他在建国门换地铁。

　　C. 他坐地铁到建国门,在建国门换公共汽车。

(3) 这家商店的工艺品部很热闹,人很多。(　　)

　　A. 这家商店的工艺品部很热闹,人不少。

　　B. 这家商店的工艺品部不热闹,人不多。

　　C. 这家公司的工艺品部很热闹,人不少。

(4) 这家公司招聘营业部经理。(　　)

　　A. 这家商店招聘职员。

　　B. 这家公司招聘经理。

　　C. 这家公司招聘营业员。

(5) 赵小姐是古玩商店的经理。(　　)

　　A. 赵小姐在古玩商店买古玩。

　　B. 赵小姐是商店营业员。

　　C. 赵小姐是经理。

2. 根据课文一判断正误　Decide whether the following statements are true or false according to Text One.

(1) 李爱华去北京古玩商店。　　　　　　　　　　　　(　　)

(2) 李爱华坐出租汽车去北京友谊商店。　　　　　　　(　　)

(3) 建国门很热闹,人很多。　　　　　　　　　　　　(　　)

(4) 李爱华去北京友谊商店买工艺品。　　　　　　　　(　　)

(5) 李爱华坐地铁到西直门,在西直门换公共汽车,到建国门下车。

　　　　　　　　　　　　　　　　　　　　　　　　(　　)

3. 根据课文一选择合适的词语填空　Fill in the blanks with the proper words or phrases according to Text One.

(1) 友谊商店是很有名的_____。　　(a. 古玩商店　b. 商店　c. 公司)

(2) 建国门很_____。　　　　　　　(a. 热闹　b. 高兴　c. 多)

(3) 工艺品_____。 　　　　（a. 不好　b. 很有名　c. 很好）

(4) 李爱华在西直门换_____。（a. 公共汽车　b. 出租汽车　c. 地铁）

4. 根据课文二判断正误 **Decide whether the following statements are true or false according to Text Two.**

(1) 古玩商店招聘营业部经理。　　　　　　　　　　　（　　）

(2) 营业员的工资不太高。　　　　　　　　　　　　　（　　），

(3) 小张喜欢古玩，不喜欢营业员的工作。　　　　　　（　　）

(4) 小张告诉经理，明天来上班。　　　　　　　　　　（　　）

Lesson 3

第三课　陈亮还没有女朋友

生　词　New Words

1. 没有	（动）	méiyǒu	not have
没	（副）	méi	not, no
2. 女	（形）	nǔ	female
3. 电脑	（名）	diànnǎo	computer
4. 认识	（动）	rènshi	to know
5. 非常	（副）	fēicháng	very
6. 漂亮	（形）	piàoliang	beautiful
7. 知道	（动）	zhīdào	to know
8. 男	（形）	nán	male
9. 常	（副）	cháng	often
10. 逛	（动）	guàng	to stroll
11. 公园	（名）	gōngyuán	park
12. 互相	（副）	hùxiāng	each other
13. 对	（量）	duì	(a measure word) couple, pair
14. 夫妻	（名）	fūqī	husband and wife, couple
15. 早上	（名）	zǎoshang	morning
16. 冷	（形）	lěng	cold
17. 上	（名）	shàng	superior
18. (车)站	（名）	(chē)zhàn	bus stop

19. 等	（动）	děng	to wait
20. 可是	（连）	kěshì	but
21. 司机	（名）	sījī	driver
22. 停	（动）	tíng	to stop
23. 奇怪	（形）	qíguài	strange
24. 售票员	（名）	shòupiàoyuán	ticket seller
25. 快	（形）	kuài	fast
26. 慢	（形）	màn	slow

专 名 Proper Nouns

1. 陈亮	Chén Liàng	Chen Liang
2. 陈卉	Chén Huì	Chen Hui
3. 上海	Shànghǎi	Shanghai

课 文 Texts

课文一 陈亮还没有女朋友

陈卉是李秋的好朋友,在北京的一家大公司工作。她是上海人。她爸爸、妈妈都在上海,她弟弟陈亮在北京,是一家电脑公司的职员。陈亮还没有女朋友,他认识李秋。李秋非常漂亮,陈亮很喜欢她。陈亮知道她还没有男朋友,常去找她一起看电影,他们还常一起逛公园、喝咖啡、逛商店。他们互相都很喜欢。陈卉很高兴。

课文二 约翰有两个中国朋友

约翰有两个中国朋友,他们是一对夫妻,他们家在西直门。一天早上,约翰坐公共汽车去看他们。那天非常冷,车上人很少。汽车到西直门站,等车的人很多,可是司机不停车。约翰很奇怪,他问售票员:为什么不停车?售票员告诉他,这是快车,西直门站不停。约翰坐快车,他到朋友家,是快还是慢?

汉 字 Chinese Characters

一、生字的结构分析 Structural analyses of the new words.

生字	读音	结构分析		
		部件		笔画和笔顺
脑	nǎo	月		丿 几 月 月
		函	亠	、 亠
			凶	丿 乂 凶 凶
常	cháng	亚		丨 丨 丬 丬 亚
		口		丨 冂 口
		巾		丨 冂 巾
亮	liàng	亠		、 亠
		口		丨 冂 口
		冖		一 冖
		几		丿 几
逛	guàng	狂	犭	丿 犭 犭
			王	一 二 千 王
		辶		、 辶 辶
互	hù	互		一 工 五 互
妻	qī	圭		一 ㄱ 亖 圭 妻
		女		乚 女 女

18

生字	读音	结构分析	
		部件	笔画和笔顺
等	děng	竹	ノ 广 ⺮ ⺮ 竹 竹
		寺	一 十 土 ᆂ 寺 寺
怪	guài	忄	丶 ㆍ 忄
		圣 又	フ 又
		土	一 十 土
快	kuài	忄	丶 ㆍ 忄
		夬	フ ユ ㇋ 夬
慢	màn	忄	丶 ㆍ 忄
		曼 日	丨 冂 月 日
		罒	丨 冂 ⺲ 罒
		又	フ 又
陈	chén	阝	⻖ 阝
		东	一 ㄊ 车 东 东

二、部分生字的部件切分　Segmentation of some of the characters.

1. 认 rèn ——讠 人
2. 停 tíng ——亻 亭
3. 识 shi ——讠 只
4. 奇 qí ——大 可
5. 漂 piào ——氵 票
6. 售 shòu ——隹 口
7. 相 xiāng ——木 目
8. 知 zhī ——矢 口
9. 早 zǎo ——日 十
10. 对 duì ——又 寸
11. 站 zhàn ——立 占
12. 男 nán ——田 力
13. 机 jī ——木 几
14. 园 yuán ——囗 元

三、常用部件举例　Examples of the common of the components.

1. 木：校 相 机
2. 忄：快 慢 忙 怪
3. 宀：客 家 字

一、认读练习 Recognize and read the characters.

1. 连线识字 Match each character with its corresponding *pinyin* and draw a line to connect each pair.

怪	màn
快	guài
慢	kuài
亮	lěng
停	liàng
冷	shòu
没	tíng
常	nán
漂	méi
售	cháng
男	piào

2. 根据下列拼音连线组词 Make phrases by matching the given characters according to *pinyin* and draw a line to connect each pair.

(1) fūqī　　(2) zhīdào　　(3) gōngyuán　　(4) fēicháng　　(5) qíguài

(6) sījī　　(7) chēzhàn　　(8) rènshi　　(9) hùxiāng　　(10) xǐhuan

认	园
知	怪
公	机
非	识
奇	道
司	常
车	相
夫	欢
互	妻
喜	站

3. 给下列句子注音并朗读　**Transcribe the following sentences into** *pinyin* **and read them aloud.**

(1) 这个留学生有很多中国朋友。

_____.

(2) 这家电脑公司有没有外国职员？

_____?

(3) 李小姐非常漂亮。

_____.

(4) 今天早上很多人在车站等车。

_____.

(5) 我不知道今天晚上有没有电影。

_____.

4. 选择合适的字或词填空　**Fill in the blanks with the proper characters or phrases.**

(1) 小王和小李_____认识。　　　　（a. 互相　b. 非常　c. 常）

(2) 陈小姐是大学生，她非常_____。　　（a. 冷　b. 漂亮　c. 快）

(3) 我不_____他为什么不去看电影。　（a. 认识　b. 告诉　c. 知道）

(4) 他常和女朋友一起_____公园。　　（a. 逛　b. 等　c. 停）

(5) 王先生是公共汽车_____。　　　　（a. 司机　b. 职员　c. 经理）

二、阅读练习　Reading exercises.

1. 从 A、B、C 中选择符合所给句义的句子　**Choose a sentence close in meaning to each of the given statements.**

(1) 王先生和李小姐互相都很喜欢。（　　）

A. 王先生喜欢李小姐，李小姐不喜欢王先生。

B. 王先生喜欢李小姐，李小姐也喜欢王先生。

C. 王先生不喜欢李小姐，李小姐喜欢王先生。

(2) 一对夫妻在车站等车。（　　）

　　　　A. 一个大夫在车站等车。

　　　　B. 一对夫妻在车站下车。

　　　　C. 他和爱人在车站等车。

(3) 小王没有女朋友,小李也没有女朋友。（　　）

　　　　A. 小王和小李都没有女朋友。

　　　　B. 小王和小李都没有朋友。

　　　　C. 小王和小李都有朋友。

(4) 汽车到站,可是司机不停车,我很奇怪。（　　）

　　　　A. 我知道司机为什么不停车。

　　　　B. 司机告诉我不停车。

　　　　C. 我不知道司机为什么不停车。

(5) 王先生是上海人,在北京的一家电脑公司工作。（　　）

　　　　A. 王先生是北京一家电脑公司的职员。

　　　　B. 王先生是北京人,在上海一家电脑公司工作。

　　　　C. 王小姐是上海人,在北京一家电脑公司工作。

2. 根据课文一判断正误　Decide whether the following statements are true or false according to Text One.

(1) 陈卉和李秋互相认识。　　　　　　　　　　　　（　　）

(2) 陈亮和陈卉常一起去看电影。　　　　　　　　　（　　）

(3) 陈卉非常漂亮。　　　　　　　　　　　　　　　（　　）

(4) 陈卉一家人在上海。　　　　　　　　　　　　　（　　）

(5) 陈卉还没有男朋友。　　　　　　　　　　　　　（　　）

(6) 陈亮在一家电脑公司工作。　　　　　　　　　　（　　）

3. 根据课文一选择合适的词语填空　Fill in the blanks with the proper words or phrases according to Text One.

(1) 陈卉在_____工作。　　　（a. 一家公司　b. 电脑公司　c. 上海）

(2) 陈卉是陈亮的_____。　　　　　（a. 妹妹　b. 姐姐　c. 朋友）

(3) 李秋常和_____一起逛公园,去商店。

(a. 陈亮　b. 陈卉　c. 陈卉的爸爸妈妈)

(4) 陈亮_____李秋还没有男朋友。　　(a. 认识　b. 知道　c. 告诉)

(5) 陈亮和李秋互相都很_____。　　(a. 喜欢　b. 漂亮　c. 认识)

4. 根据课文二判断正误　Decide whether the following statements are true or false according to Text Two.

(1) 约翰的两个中国朋友是一对夫妻。　　　　　　　　　　(　　)

(2) 一天下午,约翰坐出租汽车去看他的朋友。　　　　　　(　　)

(3) 那天非常冷,车上人很多。　　　　　　　　　　　　　(　　)

(4) 约翰坐的汽车在西直门站不停车。　　　　　　　　　　(　　)

(5) 约翰知道汽车为什么不停。　　　　　　　　　　　　　(　　)

(6) 司机告诉约翰,这是快车,西直门站不停。　　　　　　(　　)

Lesson 4

第四课　营业员给他一张收据

生　词　New Words

1. 给	（动）	gěi	to give
2. 张	（量）	zhāng	(*a measure word*) sheet
3. 收据	（名）	shōujù	receipt
4. 交	（动）	jiāo	to hand in
5. 学费	（名）	xuéfèi	tuition
6. 人民币	（名）	rénmínbì	Renminbi
7. 美元	（名）	měiyuán	US dollar
8. 行	（动）	xíng	to be all right
9. 万	（数）	wàn	ten thousand
10. 零（O）	（数）	líng	zero
11. 百	（数）	bǎi	hundred
12. 元	（量）	yuán	*yuan (a basic Chinese monetary unit)*
块	（量）	kuài	*(used as a unit of money) yuan*
13. 角	（量）	jiǎo	*jiao (one tenth of a yuan)*
毛	（量）	máo	*mao (one tenth of a yuan)*
14. 千	（数）	qiān	thousand
15. 只	（副）	zhǐ	only
16. 日元	（名）	rìyuán	Japanese yen
17. 汇率	（名）	huìlù	exchange rate
18. 先	（副）	xiān	first
19. 填	（动）	tián	to fill in

20. 单子	（名）	dānzi	form, bill
21. 前年	（名）	qiánnián	the year before last
22. 决定	（动、名）	juédìng	to decide; decision
23. 辆	（量）	liàng	*a measure word*
24. 帮助	（动）	bāngzhù	to help
25. 现在	（名）	xiànzài	now
26. 自己	（代）	zìjǐ	oneself
27. 养活	（动）	yǎnghuo	to feed, to support
28. 口	（量）	kǒu	*a measure word*
29. 没	（动）	méi	not, no
30. 问题	（名）	wèntí	problem

专 名 Proper Noun

田中	Tiánzhōng	Tanaka

课 文 Texts

课文一　营业员给他一张收据

约翰和田中上午去交学费。交人民币、美元都行,人民币一万零四百三十元,美元一千四百元。约翰交一千四百美元,营业员给他一张收据。田中只有日元,他问营业员今天银行日元的汇率是多少。营业员告诉他,一万日元换六百四十五元六角人民币。田中先填一张单子。他给营业员十六万一千五百五十日元,营业员给他一万零四百三十元人民币。

课文二　他们给小王五万块钱

小王是出租汽车司机,他爱人不工作,他们有一个孩子。小王前年在一家百货商店开车,去年在北京出租汽车公司开车,今年他决定买一辆车。买车要十五万块钱。他只有十万,爸爸妈妈给他五万,帮助他买车。现在,小王开自己的车,养活一家三口人没问题,小王很高兴。

汉 字 Chinese Characters

一、生字的结构分析　**Structural analyses of the new words.**

生字	读音	结构分析		
		部件		笔画和笔顺
民	mín	民		⁊ ⁊ ⁊ ⁊ 民
张	zhāng	弓		⁊ ⁊ 弓
		长		ノ ⁊ 长 长
收	shōu	丩		⁊ 丩
		攵		ノ ⁊ ⁊ 攵
据	jù	扌		一 十 扌
		居	尸	⁊ ⁊ 尸
			古	一 十 古 古 古
费	fèi	弗		⁊ ⁊ 弓 弗 弗
		贝		丨 冂 贝 贝
先	xiān	生		ノ ⁊ 生 生
		儿		ノ 儿
年	nián	年		ノ ⁊ ⁺ ⁺ 二 年
零	líng	雨		一 ⁊ 冖 币 雨 雨 雨 雨
		令		ノ 人 今 今 令
填	tián	土		一 十 土
		真	十	一 十
			具	丨 冂 月 月 且 具 具

26

生字	读音	结构分析	
		部件	笔画和笔顺
单	dān	单	丶 ⺍ ⺍ ⺍ 甶 甶 单 单
养	yǎng	养	丷 丷 兰 兰 羊 关 养 养
题	tí	是	丶 口 日 日 旦 早 昇 昰 是
		页	一 丆 丆 万 页 页
己	jǐ	己	⺆ ⺆ 己

二、部分生字的部件切分 Segmentation of some of the characters.

1. 给 gěi —— 纟 合
2. 价 jià —— 亻 介
3. 定 dìng —— 宀 疋
4. 现 xiàn —— 王 见
5. 前 qián —— 䒑 月 刂
6. 活 huó —— 氵 舌
7. 辆 liàng —— 车 两
8. 决 jué —— 冫 夬
9. 帮 bāng —— 丰 阝 巾
10. 助 zhù —— 且 力

三、常用部件举例 Examples of the common components.

1. 钅：银 铁 钱
2. 土：地 块 填

一、认读练习　Recognize and read the characters.

1. 连线识字　Match each character with its corresponding *pinyin* and draw a line to connect each pair.

填	měi
直	jué
美	yǎng
养	tián
决	zhí
块	qī
妻	kuài
费	shū
活	huó
舒	fèi

2. 根据下列拼音连线组词　Make phrases by matching the given characters according to the *pinyin* and draw a line to connect each pair.

（1）wèntí　（2）méiyǒu　（3）huìlǜ　（4）xiànzài　（5）bāngzhù

（6）gàosu　（7）juédìng　（8）dānzi　（9）xuéfèi　（10）shōujù

汇	子
单	题
问	率
没	在
收	定
决	有
现	诉
学	助
告	据
帮	费

3. 给下列句子注音并朗读　Transcribe the following sentences into *pinyin* and read them aloud.

（1）他给售票员二百八十六块钱。

_____.

（2）今天一美元换七块四毛五分人民币。

_____.

（3）营业员给田中八万五千三百日元。

_____.

（4）我朋友决定买一辆汽车。

_____.

（5）留学生在银行交学费。

_____.

4. 选择合适的字或词填空　Fill in the blanks with the proper characters or phrases.

（1）今天银行的汇率是，一美元_____一百一十五日元。

（a. 换　b. 找　c. 给）

（2）约翰有一_____汽车。　　　　　（a. 个　b. 张　c. 辆）

（3）爸爸妈妈给他五万_____钱。　（a. 快　b. 块　c. 决）

（4）小王在出租汽车公司开车，他是_____。

（a. 司机　b. 经理　c. 售票员）

（5）田中坐公共汽车，他给售票员一块钱，售票员给他一张_____。

（a. 收据　b. 票　c. 单子）

二、阅读练习　Reading exercises.

1. 从 A、B、C 中选择符合所给句义的句子　Choose a sentence close in meaning to each of the given statements.

（1）今天银行的汇率是，一美元换七块四毛五分人民币。（　　）

A. 今天银行的汇率是，一美元换七块五毛四分人民币。

B. 今天银行的汇率是，七块五毛人民币换一美元。

C. 今天银行的汇率是，一百美元换七百四十五元人民币。

(2) 李先生在出租汽车公司开车。（   ）

    A. 李先生是出租汽车司机。

    B. 李先生是售票员。

    C. 李先生开自己的车。

(3) 约翰决定明天去买辆汽车。（   ）

    A. 现在约翰没有汽车。

    B. 现在约翰有一辆汽车。

    C. 约翰明天去商店买车。

(4) 赵先生是上海人,他爸爸妈妈都在上海,他妹妹在美国留学。（   ）

    A. 赵先生家有三口人。

    B. 赵先生家有四口人。

    C. 赵先生的姐姐在美国留学。

(5) 他去换钱,他给营业员一千美元,营业员给他七千四百五十元人民币。　　　　　　　　（   ）

    A. 他给营业员一千美元,营业员给他一张收据

    B. 他给营业员七千四百五十美元,营业员给他一张单子

    C. 这天美元的汇率是,一美元换七块四毛五分人民币

2. 根据课文一判断正误　Decide whether the following statements are true or false according to Text One.

(1) 约翰和田中去买电影票。　　　　　　　　　　　　（   ）

(2) 约翰和田中去交学费,交美元、日元、人民币都行。　（   ）

(3) 今天日元的汇率是,一万日元换八百六十美元。　　（   ）

(4) 田中只有日元,他先换人民币。　　　　　　　　　（   ）

(5) 营业员告诉田中今天日元的汇率是多少。　　　　　（   ）

3. 根据课文一选择合适的词语填空　Fill in the blanks with the proper phrases according to Text One.

(1) 约翰交一千四百美元,＿＿＿＿＿＿给他一张收据。

                    （a. 营业员　b. 售票员　c. 售货员）

(2) 田中只有日元,没有＿＿＿＿＿＿。(a. 美元　b. 人民币　c. 美元和人民币）

(3) 田中给营业员_____日元。

  （a. 十六万一千五百五十 b. 一万零四百三十 c. 六百四十五六角）

(4) 这天日元的_____是，一万日元换六百四十五元六角人民币。

              （a. 汇率 b. 收据 c. 单子）

(5) 营业员给田中_____元人民币。

  （a. 十六万一千五百五十 b. 一万零四百三十 c. 六百四十五六角）

4. 根据课文二判断正误　Decide whether the following statements are true or false according to Text Two.

(1) 现在小王有一辆汽车。   （　　）

(2) 小王一家有三口人。   （　　）

(3) 前年小王在出租汽车公司开车。   （　　）

(4) 小王的爱人在一家百货公司工作。   （　　）

(5) 小王的爸爸妈妈给他十五万，帮助他买车。 （　　）

Lesson 5

第五课　她喜欢吃咸的

生　词　**New Words**			
1. 吃	（动）	chī	to eat
2. 咸	（形）	xián	salty
3. 饭馆	（名）	fànguǎnr	restaurant
4. 甜	（形）	tián	sweet
5. 辣	（形）	là	hot, spicy
6. 酸	（形）	suān	sour
7. 点	（动）	diǎn	to order
8. 菜	（名）	cài	dish
9. 只	（量）	zhī	*a measure word*
10. 烤鸭	（名）	kǎoyā	roast duck
11. 牛肉	（名）	niúròu	beef
肉	（名）	ròu	meat
12. 青菜	（名）	qīngcài	green vegetables
13. 汤	（名）	tāng	soup
14. 点心	（名）	diǎnxin	dessert
15. 好吃	（形）	hǎochī	delicious
16. 满意	（形）	mǎnyì	satisfactory
17. 国产	（形）	guóchǎn	homemade, domestically produced
18. 进口	（动）	jìnkǒu	to import
19. 贸易	（名）	màoyì	trade
20. 中心	（名）	zhōngxīn	center
21. 生产	（动）	shēngchǎn	to produce

22. 样式	（名）	yàngshì	mode, style
23. 好看	（形）	hǎokàn	good-looking
24. 颜色	（名）	yánsè	color
25. 红	（形）	hóng	red
26. 绿	（形）	lǜ	green
27. 白	（形）	bái	white
28. 黑	（形）	hēi	black
29. 黄	（形）	huáng	yellow
30. 蓝	（形）	lán	blue
31. 白色	（名）	báisè	white color
色	（名）	sè	color
32. 今天	（名）	jīntiān	today
33. 再	（副）	zài	again

课　文　Texts

课文一　她喜欢吃咸的

　　李爱华、约翰、陈卉和李秋一起去饭馆吃饭。陈卉是上海人,她喜欢吃甜的。李秋是北京人,她喜欢吃咸的。约翰喜欢吃辣的、酸的。甜的、咸的、酸的、辣的,李爱华都喜欢吃。他们点的菜有一只烤鸭、一个牛肉、一个青菜和一个汤。点心有四种,一种咸的,三种甜的。烤鸭很好吃,他们都很满意。李爱华说,北京烤鸭在中国很有名,在美国也很有名,很多美国人也喜欢去中国饭馆吃北京烤鸭。

课文二　有国产的,也有进口的

　　小王和他爱人去北京汽车贸易中心买车。这儿的汽车很多,有国产的,也有进口的。他喜欢一种上海生产的小汽车,样式很好看,颜色有红的、绿的、白的、黑的、黄的、蓝的。他喜欢白色的,他爱人也喜欢白色的。今天,他们先来看看,明天再来买。

汉 字 Chinese Characters

一、生字的结构分析 **Structural analyses of the new words.**

生字	读音	结构分析		
		部件		笔画和笔顺
牛	niú	牛		丿 ㇄ 二 牛
吃	chī	口		丨 冂 口
		乞	𠂉	丿 丿 𠂉
			乙	乙
咸	xián	咸		一 厂 厂 厃 咸 咸 咸 咸 咸
饭	fàn	饣		丿 𠃋 饣
		反		一 厂 厉 反
馆	guǎn	饣		丿 𠃋 饣
		官	宀	丶 丷 宀
			𠂤	丨 ㇒ 尸 𠂤 𠂤
辣	là	辛	(立十)	丶 一 亠 六 立 立 辛
		束	(木口)	一 ㇕ 一 二 束 束 束
酸	suān	酉		一 厂 厅 丏 西 酉 酉
		夋	厶	厶 厶
			八	丷 八
			夂	丿 ㇇ 夂
烤	kǎo	火		丶 丷 少 火
		考	耂	一 十 土 耂
			丂	一 丂
肉	ròu	肉		丨 冂 冂 内 肉 肉
鱼	yú	鱼		丿 ㇇ ㇈ 各 𢎘 角 鱼 鱼 鱼

34

牛字	读音	结构分析		
		部件		笔画和笔顺
产	chǎn	产		丶 亠 产 产 立 产
式	shì	式		一 二 于 式 式 式
颜	yán	彦	产	丶 亠 产 产 立 产
			彡	丿 彡 彡
		页		一 丆 厂 页 页 页
白	bái	白		(丿 日) 丿 彳 白 白 白
绿	lǜ	纟		乀 乿 纟
		录	彐	乛 彐 彐
			氺	丨 乛 氺 氺 氺 氺
黑	hēi	里		丶 口 口 甲 甲 里
		灬		丶 灬 灬 灬
黄	huáng	卄		一 卄 卄
		由		(日 丨) 丨 口 日 由 由
		八		丶 八
蓝	lán	艹		一 艹 艹
		监	收	丨 丨丨
				丿 レ 乚
			皿	丨 口 皿 皿 皿
今	jīn	今		丿 人 仒 今
色	sè	夕		丿 夕
		巴		乛 乛 巴 巴

注："牛"字在汉字的左边写做"牜",如"牦牛"。

Note: "牛" is written as a radical "牜" when used as the left part of a Chinese character, e.g. "牦牛".

二、部分生字的部件切分　Segmentation of some of the characters.

1. 贸 mào ―― 𠂉 刀 贝　　2. 易 yì ―― 日 勿

3. 满 mǎn ―― 氵 艹 两　　4. 意 yì ―― 立 日 心

5. 样 yàng ―― 木 羊　　6. 红 hóng―― 纟 工

7. 香 xiāng ―― 禾 日　　8. 甜 tián ―― 舌 甘

9. 鸭 yā ―― 甲 鸟　　10. 菜 cài ―― 艹 𠆢 木

三、常用部件举例　Examples of the common components.

1. 纟：给 红 绿 绍 经

2. 氵：满 没 活 汉 海 漂 游 泳 酒 汽

练 习　Exercises

一、认读练习　Recognize and read the characters.

1. 连线识字　Match each character with its corresponding *pinyin* and draw
   a line to connect each pair.

贸	cài
货	suān
菜	jiǔ
茶	mào
酸	huò
酒	xián
甜	shì
活	chá
咸	tián
式	huó

2. 根据下列拼音连线组词 Make phrases by matching the given characters according to *pinyin* and draw a line to connect each pair.

（1）jìnkǒu （2）hǎochī （3）zhōngxīn （4）yàngshì （5）yánsè

（6）niúròu （7）màoyì （8）shēngchǎn （9）fànguǎnr （10）mǎnyì

饭	式
进	口
样	馆
颜	意
贸	色
满	易
好	产
中	心
生	肉
牛	吃

3. 给下列句子注音并朗读 Transcribe the following sentences into *pinyin* and read them aloud.

（1）这儿的点心有甜的，也有咸的。

_____.

（2）这是一家很有名的饭馆。

_____.

（3）我喜欢红色，我朋友喜欢黑色和白色。

_____.

（4）这个商店的电脑有国产的，也有进口的。

_____.

（5）这是上海生产的汽车，样式很好看，颜色也很多。

_____.

4. 选择合适的汉字填空 Fill in the blanks with the proper characters.

（1）北京烤鸭很有_____。　　　　　（a. 明　b. 名　c. 朋）

(2) 这个菜的颜色很好看,有红的、_____的。 （a.百 b.白 c.自）

(3) 他先_____一张换钱的单子。 （a.填 b.甜 c.天）

(4) 这个饭馆的菜很好吃,我们都很_____意。 （a.满 b.慢 c.美）

(5) 这个菜太_____,我不喜欢。 （a.先 b.咸 c.现）

二、阅读练习　Reading exercises.

1. 从 A、B、C 中选择符合所给句义的句子　Choose a sentence close in meaning to each of the given statements.

(1) 这儿的书有中文的,也有英文的。（　　）

　　A. 这儿的书有英文的,也有日文的。

　　B. 这儿的书有中文的,也有日文的。

　　C. 这儿的书有英文的,也有中文的。

(2) 我朋友在一家饭馆工作。（　　）

　　A. 我朋友在一家饭馆吃饭。

　　B. 我朋友是一家饭馆的职员。

　　C. 我的女朋友在一家饭馆工作。

(3) 这儿的电脑有国产的,也有进口的。（　　）

　　A. 这儿的电脑只有国产的,没有进口的。

　　B. 这儿的汽车有进口的,也有国产的。

　　C. 这儿的电脑有进口的,也有国产的。

(4) 去北海公园的车很多,有快车,也有慢车。（　　）

　　A. 去北海公园的车不太多。

　　B. 去北海公园的车很多,有早上的,也有晚上的。

　　C. 去北海公园的车很多,快车、慢车都有。

(5) 他喜欢红色,他朋友喜欢白色。（　　）

　　A. 他不喜欢绿色,他朋友喜欢绿色。

　　B. 他朋友喜欢白色,他喜欢红色。

　　C. 他和朋友都喜欢红色和白色。

2. 根据课文一判断正误 **Decide whether the following statements are true or false according to Text One.**

(1) 李秋是上海人,她喜欢吃咸的。 （　　）

(2) 约翰喜欢吃辣的和甜的。 （　　）

(3) 他们点的菜有青菜、烤鸭、鱼香肉丝和牛肉。 （　　）

(4) 牛肉太辣,他们都不满意。 （　　）

(5) 很多美国人喜欢去中国饭馆吃烤鸭。 （　　）

3. 根据课文一选择合适的词语填空 **Fill in the blanks with the proper phrases according to Text One.**

(1) 李爱华、约翰、陈卉和李秋一起去_____。

（a. 吃饭　b. 公园　c. 买车）

(2) 点心有甜的,也有_____。 （a. 辣的　b. 咸的　c. 酸的）

(3) 北京烤鸭很好吃,他们都很_____。 （a. 满意　b. 有名　c. 好看）

(4) 北京烤鸭在美国也很_____。 （a. 好吃　b. 有名　c. 高兴）

(5) 陈卉是上海人,她喜欢吃_____。 （a. 甜的　b. 咸的　c. 辣的）

4. 根据课文二判断正误 **Decide whether the following statements are true or false according to Text Two.**

(1) 这儿的汽车有国产的,没有进口的。 （　　）

(2) 小王喜欢一种日本进口的汽车。 （　　）

(3) 这种上海生产的汽车样式很好看,颜色也很多。 （　　）

(4) 小王喜欢红色的,他爱人喜欢白色的。 （　　）

(5) 他们决定今天买汽车。 （　　）

Lesson 6

第六课　一张票六十块钱

生　词　New Words

1.	爱情	（名）	àiqíng	love
2.	片	（名）	piàn	film
3.	刻	（量）	kè	(*a measure word*) quarter (of an hour)
4.	场	（量）	chǎng	(*a measure word*) show
5.	半	（数）	bàn	half
6.	小时	（名）	xiǎoshí	hour
7.	事	（名）	shì	business, thing
8.	时间	（名）	shíjiān	time
9.	部	（量）	bù	*a measure word*
10.	贵	（形）	guì	expensive
11.	结束	（动）	jiéshù	to finish
12.	以后	（名）	yǐhòu	after
13.	为了	（介）	wèile	for
14.	这么	（代）	zhème	so
15.	真	（副）	zhēn	really
16.	不好意思		bù hǎoyìsi	embarrassed
17.	没关系		méi guānxi	it doesn't matter
18.	省	（动）	shěng	to save
19.	怕	（动）	pà	to fear
20.	花	（动）	huā	to spend

21. 次	（量）	cì	（*a measure word*）time
22. 感冒	（动、名）	gǎnmào	to have a cold; cold
23. 头	（名）	tóu	head
24. 看病		kàn bìng	to see a doctor
病	（名、动）	bìng	illness, disease; to be sick
25. 第	（头）	dì	*a prefix indicating order*
26. 需要	（动）	xūyào	to need
27. 便宜	（形）	piányi	cheap
28. 每	（代）	měi	every
29. 上午	（名）	shàngwǔ	morning
30. 差	（名）	chà	to（an hour）
31. 分（钟）	（量）	fēn(zhōng)	（*a measure word*）minute
32. 又	（副）	yòu	again
33. 一边……一边……		yìbiān……	…while…
		yìbiān……	
34. 上	（名）	shàng	previous, last
35. 药	（名）	yào	medicine

课 文 Texts

课文一　一张票六十块钱

李秋和陈亮都喜欢看电影,李秋很喜欢看爱情片。

一天,陈亮打电话告诉李秋,他有两张电影票,是晚上七点一刻的,一场一个半小时。李秋下午有事,晚上有时间,他们一起去看。这是一部美国电影,是有名的爱情片,很好看。李秋知道电影票很贵,一张票六十块钱。电影结束以后,她说:"陈亮,为了我,你买这么贵的电影票,真不好意思。"陈亮回答说:"没关系,你喜欢看,以后我还请你。"

课文二　为了省钱

　　小王很怕花钱。一次，他感冒、头疼。他的朋友给他介绍一个有名的大夫。小王问朋友，在这个大夫那儿看病贵不贵。朋友告诉他："你第一次去，需要一百块钱，以后去很便宜，每次只需要十块钱。"上午差五分九点，他去看病。为了省钱，他说："大夫，我'又'来看病。"大夫一边给他看病，一边说："你'还'吃我上次给你的药。"

汉　字　Chinese Characters

一、生字的结构分析　Structural analyses of the new words.

生字	读音	结构分析	
		部件	笔画和笔顺
片	piàn	片	丿 丿 片 片
半	bàn	半	丶 丷 半 半 半
事	shì	事	一 一 一 一 写 写 写 事
束	shù	束	一 一 一 一 束 束 束
以	yǐ	以	丶 丶 以 以
后	hòu	后	一 厂 厂 厈 后 后
为	wèi	为	丶 丿 为 为
场	chǎng	土	一 十 土
		易	子 易 易
关	guān	丷	丶 丷
		天	一 二 于 天
系	xì	一	一
		糸	(幺小) 一 幺 幺 糸 糸

生字	读音	结构分析	
		部件	笔画和笔顺
感	gǎn	咸	一 厂 厂 厂 咸 咸 咸 咸 咸
		心	丶 心 心 心
头	tóu	头	丶 丷 ⸺ 头 头
病	bìng	疒	丶 一 广 广 疒
		丙	(一 冂 人) 一 厂 厅 丙 丙
每	měi	每	(⺈ 母) 丿 ⺈ ⻃ 勾 每 每 每
又	yòu	又	丆 又

二、部分汉字的部件切分　Segmentation of some of the characters.

1. 情 qíng —— 忄 青　　　　2. 刻 kè —— 亥 刂

3. 间 jiān —— 门 日　　　　4. 部 bù —— 立 口 阝

5. 结 jié —— 纟 吉　　　　6. 真 zhēn —— 直 八

7. 怕 pà —— 忄 白　　　　8. 思 sī —— 田 心

9. 花 huā —— 艹 化　　　　10. 次 cì —— 丶 欠

11. 冒 mào —— 日 目　　　　12. 便 pián —— 亻 更

13. 第 dì —— 竹 弟　　　　14. 差 chà —— 羊 工

15. 省 shěng —— 少 目　　　　16. 药 yào —— 艹 纟 勺

三、常用部件举例　Examples of the common components.

1. 心：您 意 思 感

2. 日：是 晚 时 明

43

一、认读练习　Recognize and read the characters.

1. 连线识字　Match each character with its corresponding *pinyin* and draw a line to connect each pair.

孩	kè
省	kàn
文	hái
刻	wén
看	shěng
花	huà
午	niú
牛	wǔ
化	cì
次	huā

2. 根据下列拼音连线组词　Make phrases by matching the given characters according to *pinyin* and draw a line to connect each pair.

（1）àiqíng 　（2）shíjiān 　（3）jiéshù 　（4）xiǎoshí 　（5）wèile

（6）yìsi 　　（7）guānxi 　（8）zhème 　（9）diànyǐng 　（10）huídá

关	情
意	系
爱	思
回	答
小	时
时	么
这	影
电	间
结	了
为	束

3. 给下列句子注音并朗读 Transcribe the following sentences into *pinyin* and read them aloud.

(1) 一张电影票六十块钱。

_____.

(2) 李秋很喜欢看爱情片。

_____.

(3) 为了我,你买这么贵的票。

_____.

(4) 你在那儿看病很便宜。

_____.

(5) 他的朋友给他介绍一个有名的大夫。

_____.

4. 选择合适的汉字填空 Fill in the blanks with the proper characters.

(1)这位先生很_____他爱人。　　(a. 百　b. 伯　c. 怕　d. 白)

(2)他给朋友打电_____。　　　　(a. 化　b. 话　c. 说　d. 诉)

(3)张老师下午有时_____。　　　(a. 门　b. 问　c. 小　d. 间)

(4)这是一部美国爱_____片。　　(a. 情　b. 请　c. 青　d. 清)

(5)他有两张电影_____。　　　　(a. 漂　b. 要　c. 票　d. 亮)

二、阅读练习 Reading exercises.

1. 从 A、B、C 中选择符合所给句义的句子 Choose a sentence close in meaning to each of the given statements.

(1) 这是一部美国爱情片。(　　)

　　A. 这部爱情片在美国很有名。

　　B. 这是美国有名的爱情片。

　　C. 这是一部美国电影。

(2) 你在那儿看病很便宜。（　　　）

    A 你在那儿看病很贵。

    B. 你在那儿看病不贵。

    C. 你在那儿看病需要很多钱。

(3) 李秋晚上有时间。（　　　）

    A. 李秋有时候不工作。

    B. 李秋晚上有一个小时时间。

    C. 李秋晚上没事。

(4) 一场电影一个半小时。（　　　）

    A. 一场电影半个小时。

    B. 一场电影一点三十分开始。

    C. 一个半小时一场电影。

(5) 大夫,我又来看病。（　　　）

    A. 我第一次去看大夫。

    B. 我第二次来看病。

    C. 我以后来看病。

2. 根据课文一回答问题　Answer the questions according to Text One.

(1) 李秋喜欢看什么电影?

(2) 陈亮有两张什么票?

(3) 晚上七点一刻的电影,到几点结束?

(4) 看一场电影要多少钱?

(5) 这部电影是哪国的爱情片?

3. 根据课文一给下列句子加上合适的量词　Fill in the blanks with proper measure words according to Text One.

他们两＿＿＿＿＿人有两＿＿＿＿＿电影票,是晚上七＿＿＿＿＿一＿＿＿＿＿的,一＿＿＿＿＿电影一＿＿＿＿＿半小时。一＿＿＿＿＿票60＿＿＿＿＿钱。电影八＿＿＿＿＿四十五＿＿＿＿＿结束。

4. 根据课文二判断正误 Decide whether the following statements are true or false according to Text Two.

(1) 小王的朋友感冒、头疼。   ( )

(2) 第一次去看病只需要十块钱。   ( )

(3) 第一次看病,需要一百块钱。   ( )

(4) 第二次看病,只交十块钱。   ( )

(5) 小王说他是第一次来看病。   ( )

(6) 大夫没有给小王看病。   ( )

Lesson 7

第七课　我一定请你们参加

生　词　New Words

1. 一定	（副）	yídìng	surely
2. 参加	（动）	cānjiā	to attend
3. 岁	（量）	suì	(*a measure word*) year of age
4. 月	（名）	yuè	month
5. 号	（量）	hào	(*a measure word*) date
6. 星期	（名）	xīngqī	week
7. 结婚		jié hūn	to get married
8. 婚礼	（名）	hūnlǐ	wedding
9. 饭店	（名）	fàndiàn	hotel
10. 举行	（动）	jǔxíng	to take place
11. 新娘	（名）	xīnniáng	bride
12. 同学	（名）	tóngxué	schoolmate
13. ……的时候		……de shíhou	when
时候	（名）	shíhou	time
14. 让	（动）	ràng	to let
15. 客人	（名）	kèren	guest
16. 祝	（动）	zhù	to congratulate
17. 新	（形）	xīn	new
18. 永远	（副）	yǒngyuǎn	forever
19. 幸福	（形）	xìngfú	happy
20. 大家	（代）	dàjiā	everybody, all

21. 新郎	(名)	xīnláng	bridegroom
22. 有意思		yǒu yìsi	interesting
23. 游戏	(名)	yóuxì	game
24. 生日	(名)	shēngri	birthday
25. 可爱	(形)	kě'ài	lovely
26. 穿	(动)	chuān	to wear
27. 衣服	(名)	yīfu	clothes
28. 送	(动)	sòng	to escort
29. 幼儿园	(名)	yòu'éryuán	kindergarten
30. 怎么	(代)	zěnme	how
31. 过	(动)	guò	to pass（time）, to celebrate
32. 所以	(连)	suǒyǐ	so

专 名 Proper Nouns

1. 赵	Zhào	*a surname*
2. 小华	Xiǎo Huá	Xiao Hua

课 文 Texts

课文一　我一定请你们参加

　　我有一个中国朋友,他姓赵,是一家公司的经理。赵经理今年32岁。10月6号,星期一,赵经理结婚,我去参加他的婚礼。

　　婚礼在北京饭店举行。新娘是赵经理的中学同学,她非常漂亮。在举行婚礼的时候,新娘让客人喝酒。客人们祝这对新夫妻永远幸福。参加婚礼的人很多,大家让新郎新娘做很多有意思的游戏。

　　这是我第一次参加中国人的婚礼。新郎问我:"你以后在美国结婚还是在中国结婚?"我回答说:"在中国结婚,到时候我一定请你们参加。"

课文二 爸爸的生日是2月29号

小华今年3岁半,是个可爱的孩子,她穿的衣服很漂亮。妈妈每天送她去幼儿园。一天,幼儿园的老师问小朋友们:“你们今年几岁?你们的爸爸妈妈今年多大?你们知道吗?”小华说:“我今年4岁,我妈妈31岁,我爸爸9岁。”老师很奇怪,问小华:“你爸爸多大?怎么只有9岁?”“上个月我爸爸过生日,我妈妈说,这是我爸爸的第九个生日,所以我爸爸今年9岁。”

老师又问:“你爸爸的生日是哪一天?”

“我爸爸的生日是2月29号。”小华回答说。

提示:阳历每四年2月有一个闰(rùn)日。

汉字 Chinese Characters

一、生字的结构分析 Structural analyses of the new words.

生字	读音	结构分析：部件		结构分析：笔画和笔顺
婚	hūn	女		ㄑ 女 女
		昏	氏	㇀ 𠂆 𠂇 氏
			日	丨 冂 日 日
期	qī	其		一 十 廾 廾 甘 甘 其 其
		月		丿 冂 月 月
举	jǔ	兴		丶 丷 ⺍ 业 兴 兴
		丰		一 二 丰
娘	niáng	女		ㄑ 女 女
		良		(丶 良) 丶 ㇇ ㇇ ㇇ 艮 艮 良
同	tóng	同		(冂 一 口) 丨 冂 冂 同 同 同

生字	读音	结构分析	
		部件	笔画和笔顺
永	yǒng	永	丶 亅 刁 氶 永
幸	xìng	土	一 十 土
		羊	丶 丷 䒑 兰 羊
福	fú	礻	丶 ㇇ 礻 礻
		畐	(一口田) 一 丆 亓 百 戸 吕 吕 畐 畐
郎	láng	良	丶 ㇇ ⺕ 彐 艮 良
		阝	㇋ 阝
穿	chuān	穴	(宀 八) 丶 丷 宀 穴
		牙	一 二 于 牙
衣	yī	衣	丶 亠 𠂇 衤 衣 衣
所	suǒ	户	丿 厂 户 户
		斤	丿 厂 斤 斤

二、部分生字的部件切分 Segmentation of some of the characters.

1. 星 xīng —— 日 生
2. 礼 lǐ —— 礻 乚
3. 岁 suì —— 山 夕
4. 让 ràng —— 讠 上
5. 戏 xì —— 又 戈
6. 新 xīn —— 亲 斤
7. 祝 zhù —— 礻 兄
8. 远 yuǎn —— 元 辶
9. 送 sòng —— 关 辶
10. 幼 yòu —— 幺 力
11. 怎 zěn —— 乍 心
12. 过 guò —— 寸 辶

三、常用部件举例 Examples of the common components.

1. 礻：视 礼 祝 福
2. 阝：郎 部 那 都
院 陈

练 习 Exercises

一、认读练习 **Recognize and read the characters.**

1. 连线识字 **Match each character with its corresponding *pinyin* and draw a line to connect each pair.**

现	zhù
视	xiàn
祝	shì
远	yùn
运	yuǎn
期	péng
朋	qī
新	sù
诉	xīn

2. 根据下列拼音连线组词 **Make phrases by matching the given characters according to pinyin and draw a line to connect each pair.**

（1）shíhou （2）yǐhòu （3）xiǎoshí （4）cānjiā （5）jiéhūn

（6）tóngxué （7）fàndiàn （8）shēngri （9）kèrén （10）xìngfú

以	候
时	后
参	时
结	加
小	婚
幸	学
饭	人
同	日
生	店
客	福

3. 给下列句子注音并朗读 **Transcribe the following sentences into *pinyin* and read thcm aloud.**

(1) 王经理今年 32 岁。

_____.

(2) 赵先生请你参加他的婚礼。

_____.

(3) 大家让新娘和新郎做很多有意思的游戏。

_____.

(4) 他在中国结婚还是在美国结婚？

_____?

(5) 今天来参加婚礼的人真不少。

_____.

(6) 小华穿的衣服非常漂亮。

_____.

4. 给下列句中加点的汉字注音 **Transcribe the dotted characters into *pinyin*.**

(1) 他去请张大(　　)夫给孩子看病。

(2) 我们大(　　)家一定去参加他的婚礼。

(3) 陈卉明天去银行(　　)换钱。

(4) 赵经理的婚礼在哪儿举行(　　)？

(5) 新娘(　　)是他中学的老同学。

(6) 客人请新郎(　　)介绍一下儿新娘。

二、阅读练习 **Reading exercises.**

1. 从 A、B、C 中选择符合所给句义的句子 **Choose a sentence close in meaning to each of the given statements.**

(1) 新娘让客人喝酒。(　　)

　　A. 新娘喝酒，客人不喝酒。

　　B. 新娘和客人一起喝酒。

　　C. 新娘请客人喝酒。

(2) 参加婚礼的人很多。(　　　)

    A. 结婚的人很多。

    B. 来参加婚礼的人真不少。

    C. 举行婚礼的人非常多。

(3) 新娘是小刘的大学同学。(　　　)

    A. 上大学的时候,小刘和新娘在一个学校学习。

    B. 新娘和小刘都是大学生。

    C. 新娘在大学学习,小刘也在大学学习。

(4) 小华穿的衣服非常漂亮。(　　　)

    A. 小华的衣服很贵。

    B. 小华穿的衣服非常好看。

    C. 小华非常漂亮。

2. 根据课文一回答问题　Answer the questions according to Text One.

(1) 赵经理什么时候举行婚礼?

(2) 新娘是不是赵经理大学的同学?

(3) 举行婚礼的时候,客人们祝新郎和新娘什么?

(4) 举行婚礼的时候,大家让新娘和新郎做什么?

(5) 赵经理的爱人漂亮不漂亮?

3. 根据课文二判断正误　Decide whether the following statements are true or false according to Text Two.

(1) 小华今年 4 岁半。　　　　　　　　　　　　　　(　　　)

(2) 小华是个女孩子。　　　　　　　　　　　　　　(　　　)

(3) 小华很可爱,穿的衣服也很漂亮。　　　　　　　(　　　)

(4) 小华妈妈今年 31 岁。　　　　　　　　　　　　(　　　)

(5) 老师问小朋友们知不知道他们的爸爸妈妈的生日。(　　　)

(6) 小华爸爸的生日是 2 月 29 号,今年他过第九个生日,
所以他今年 36 岁。　　　　　　　　　　　　　　(　　　)

Lesson 8

第八课　约翰每天都忙得很

生　词　New Words

1. 得　　　　（助）　　de　　　　　*a structural particle*
2. 早饭　　　（名）　　zǎofàn　　　breakfast
3. 教室　　　（名）　　jiàoshì　　　classroom
4. 课　　　　（名）　　kè　　　　　class
5. 开始　　　（动）　　kāishǐ　　　to start
6. 上课　　　　　　　shàng kè　　to attend a class
7. 下课　　　　　　　xià kè　　　to end a class
8. 发音　　　（名）　　fāyīn　　　pronunciation
9. 语法　　　（名）　　yǔfǎ　　　grammar
10. 难　　　　（形）　　nán　　　　difficult
11. 汉字　　　（名）　　Hànzì　　　Chinese character
12. 努力　　　（形）　　nǔlì　　　hard
13. 图书馆　　（名）　　túshūguǎn　library
14. 书　　　　（名）　　shū　　　　book
15. 报纸　　　（名）　　bàozhǐ　　　newspaper
16. 练习　　　（名、动）liànxí　　　exercise; to exercise
17. 写　　　　（动）　　xiě　　　　to write
18. 睡觉　　　（动）　　shuìjiào　　to sleep
19. 警察　　　（名）　　jǐngchá　　　policeman
20. 生气　　　　　　　shēng qì　　angry
21. ……极了　　　　　……jíle　　　extremely
22. 开车　　　（动）　　kāi chē　　　to drive a car

23. 违反	（动）	wéifǎn	to violate
24. 交通	（名）	jiāotōng	traffic
25. 法规	（名）	fǎguī	rule
26. 路	（名）	lù	road
27. 放心		fàng xīn	to feel relieved, to rest assured
28. 刚	（副）	gāng	just
29. 拐弯		guǎi wānr	to turn a corner
30. 对	（介）	duì	toward
31. 奖	（动、名）	jiǎng	to reward; award
32. 办	（动）	bàn	to apply
33. 驾驶证	（名）	jiàshǐzhèng	driving license
驾驶	（动）	jiàshǐ	to drive
34. 醉	（动）	zuì	to be drunk
35. 开	（动）	kāi	to write out
36. 罚单	（名）	fádān	fine ticket
37. 别	（副）	bié	don't
38. 偷	（动）	tōu	to steal

专　名　**Proper Noun**

小文	Xiǎo Wén	Xiao Wen

课　文　Texts

课文一　约翰每天都忙得很

　　约翰每天都忙得很。早上六点,他去打太极拳。七点半他吃早饭。差十分八点,他去教室。他每天上午都有汉语课。他们八点开始上课,十二点下课。约翰说,汉语的发音和语法不太难,汉字很难。约翰学习很努力,下午没有课,他常去图书馆看书、看报纸。晚上他在宿舍做练习,写汉字,看电视,电视片有汉语的,也有英语的,他十点半睡觉。

课文二　警察生气极了

　　不少人在开车的时候违反交通法规,警察很生气。

　　今天小文在路上开车,他爸爸妈妈也在车上。他们看看路边没有警察,一家人很放心。刚一拐弯,一个警察让他停车。警察对小文说:"先生,您是今天第一个不违反交通法规的人,所以我决定奖您100块钱。"小文说:"谢谢警察先生,我要用这100块钱去办一个驾驶证。"

　　"什么?你没有驾驶证?"

　　"警察先生,他说的都是醉话。"他妈妈说。

　　"什么?你还酒后开车?"警察一边开罚单一边说。

　　"我告诉你别开车,这不是我们的车。"他爸爸说。

　　警察生气极了:"你还说什么?这是你偷的车!"

汉　字　Chinese Characters

一、生字的结构分析　Structural analyses of the new words.

生字	读音	结构分析	
		部件	笔画和笔顺
发	fā	发	乁 少 岁 发 发
书	shū	书	乛 乛 书 书
反	fǎn	反	一 厂 反 反
力	lì	力	丁 力

生字	读音	结构分析		
		部件		笔画和笔顺
警	jǐng	敬	苟	(艹勹口) 一 ┼ 艹 艹 芍 芍 苟 苟
			攵	丿 ㇏ 攵 攵
		言		丶 亠 二 宀 言 言 言
察	chá	宀		丶 丶 宀
		祭		(夕㇏示) 丿 夕 夕 夕 夕 夘 夘 𥐓 𥐓 祭 祭
睡	shuì	目		丨 冂 冃 目 目
		垂		一 ㇒ 千 手 手 𠂹 垂 垂
路	lù	𧾷		丶 丷 ㅂ 甲 𧾷 𧾷 𧾷
		各	夂	丿 夂 夂
			口	丨 冂 口
办	bàn	办		丁 力 办 办
醉	zuì	酉		一 丆 丙 丙 西 酉 酉
		卒		丶 亠 广 亽 夳 卒 卒 卒
偷	tōu	亻		丿 亻
		俞		(人一月刂) 丿 人 𠆢 今 亼 亼 俞 俞 俞

二、部分生字的部件切分 Segmentation of some of the characters.

1. 教 jiào —— 孝 攵　　　　2. 室 shì —— 宀 至

3. 课 kè —— 讠 果　　　　4. 音 yīn —— 立 日

5. 法 fǎ —— 氵 去　　　　6. 难 nán —— 又 隹

7. 努 nǔ —— 奴 力　　　　8. 图 tú —— 囗 冬

9. 报 bào —— 扌 㔾　　　　10. 纸 zhǐ —— 纟 氏

11. 练 liàn ── 纟 东   12. 觉 jiào ── ⺍ 见
13. 违 wéi ── 韦 辶   14. 诵 tōng ── 甬 讠
15. 规 guī ── 夫 见   16. 极 jí ── 木 及
17. 放 fàng ── 方 攵   18. 拐 guǎi ── 扌 另
19. 刚 gāng ── 冈 刂   20. 弯 wān ── 亦 弓
21. 驾 jià ── 加 马   22. 驶 shǐ ── 马 史
23. 证 zhèng ── 讠 正   24. 罚 fá ── 罒 讠 刂
25. 别 bié ── 另 刂   26. 奖 jiǎng ── 丬 夕 大
27. 始 shǐ ── 女 台   28. 得 de ── 彳 导

三、常用部件举例　Examples of the common components.

1. 刂：到　刻　刚　别

2. 囗：国　园　图

练　习　Exercises

一、认读练习　Recognize and read the characters.

1. 连线识字　Match each character with its corresponding *pinyin* and draw a line to connect each pair.

现　　　　　guān

观　　　　　bié

规　　　　　xiàn

谁　　　　　guǎn

难　　　　　shéi

别　　　　　guǎi

拐　　　　　guī

办　　　　　wèi

为　　　　　bàn

饭　　　　　nán

馆　　　　　fàn

2. 根据下列拼音连线组词 Make phrases by matching the given characters according to *pinyin* and draw a line to connect each pair.

（1）zǎofàn （2）xiàkè （3）yǔfǎ （4）fāyīn （5）jiāotōng

（6）jiàoshì （7）fàngxīn （8）wéifǎn （9）jiàshǐ （10）fádān

语	饭
早	法
罚	音
下	单
发	通
教	驶
交	课
驾	室
违	心
放	反

3. 给下列句子注音并朗读 Transcribe the following sentences into *pinyin* and read them aloud.

（1）陈卉每天都忙极了。

_____.

（2）北京图书馆的书多得很。

_____.

（3）我看看你的驾驶证。

_____.

（4）上课的时候，老师问的语法问题难得很。

_____.

（5）约翰一边练习发音，一边写汉字。

_____.

二、阅读练习 Reading exercises.

1. 从 A、B、C 中选择符合所给句义的句子 Choose a sentence close in meaning to each of the given statements.

(1) 李爱华每个星期都忙得很。（　　）

    A. 李爱华每个星期都工作。

    B. 李爱华每个星期都非常忙。

    C. 李爱华每个星期都不太忙。

(2) 汉语语法不难,汉字难极了。（　　）

    A. 汉语汉字不太难,语法难得很。

    B. 汉语语法不难,汉字也不很难。

    C. 汉语汉字难得很,语法不难。

(3) 警察非常生气地说:"你还酒后开车!"（　　）

    A. 警察生气极了,他说:"你还酒后开车!"

    B. 警察常说:"你还酒后开车!"

    C. 警察大声地说:"你还酒后开车!"

(4) 他说的都是醉话。（　　）

    A. 他说的话都不好。

    B. 他说的话都是好话。

    C. 他是在喝很多酒以后说的话。

2. 根据课文一判断正误 Decide whether the following statements are true or false according to Text One.

(1) 约翰每天早上六点去打太极拳。　　　　　　　　　（　　）

(2) 他七点一刻去饭馆吃早饭。　　　　　　　　　　　（　　）

(3) 他们八点差十分开始上课。　　　　　　　　　　　（　　）

(4) 他每天下午都有课。　　　　　　　　　　　　　　（　　）

(5) 他常在宿舍看电视。　　　　　　　　　　　　　　（　　）

(6) 电视片有汉语的,没有英语的。　　　　　　　　　（　　）

3. 根据课文二回答下列问题　Answer the questions according to Text Two.

(1) 开车违反交通法规的人多不多？

(2) 警察为什么决定奖小文 100 块钱？

(3) 小文有没有驾驶证？

(4) 警察为什么说小文是酒后开车？

(5) 小文开的车是他自己的吗？

(6) 警察决定奖小文还是罚小文？

Lesson 9

第九课　他网球打得好极了

生词 New Words

1. 网球	（名）	wǎngqiú	tennis	
球	（名）	qiú	ball	
2. 跑步		pǎo bù	to jog	
跑	（动）	pǎo	to run	
3. 山	（名）	shān	mountain	
4. 锻炼	（动）	duànliàn	to exercise	
5. 周末	（名）	zhōumò	weekend	
6. 有时候		yǒu shíhou	sometimes	
7. 乒乓球	（名）	pīngpāngqiú	table tennis	
8. 排球	（名）	páiqiú	volleyball	
9. 不错	（形）	búcuò	not bad	
10. 觉得	（动）	juéde	to feel	
11. 武术	（名）	wǔshù	martial arts	
12. 特别	（形）	tèbié	special	
13. 操场	（名）	cāochǎng	sports ground	
14. 进步	（动、形）	jìnbù	to improve; progressive	
15. 经常	（形）	jīngcháng	often	
16. 刚才	（名）	gāngcái	a moment ago	
17. 清楚	（形）	qīngchu	clear	
18. 理发		lǐ fà	to have a haircut	
19. 排队		pái duì	to queue up	
20. 等候	（动）	děnghòu	to wait	

21. 天气	（名）	tiānqì	weather
22. 比较	（副、动）	bǐjiào	comparatively; to compare
23. 热	（形）	rè	hot
24. 凉快	（形）	liángkuai	cool
25. 大概	（副）	dàgài	probably
26. 夏天	（名）	xiàtiān	summer
27. 点儿	（量）	diǎnr	*(a measure word)* a little
28. 故事	（名）	gùshi	story
29. 读音	（名）	dúyīn	pronunciation
30. 相同	（形）	xiāngtóng	same
同	（形）	tóng	same
31. 声调	（名）	shēngdiào	tone
32. 一样	（形）	yíyàng	same

专 名 Proper Noun

| 香山 | Xiāng Shān | Fragrant Hill |

课 文 Texts

课文一 他网球打得好极了

　　李爱华身体很好。他很喜欢运动,跑步、打球、爬山、游泳,他都喜欢。在美国的时候,为了锻炼身体,他每天早上都去跑步。周末,他常去打网球,有时候去打乒乓球和排球。他网球打得好极了,乒乓球、排球打得也不错。现在,他觉得武术特别有意思,他参加学校武术班的学习,每天下午在操场上练习。他非常努力,进步很快。

　　上个周末,李爱华和约翰一起去爬香山。李爱华经常锻炼,他爬山爬得很快。约翰不喜欢运动,他爬山爬得很慢。爬山以后,约翰累极了。

课文二　刚才你说得很清楚

　　约翰来学校的理发店理发。理发的人很多,大家都排队等候。他的一个中国同学也来理发。那个同学对他说:"现在天气比较热,理个发'凉快'。"约翰想:"以前我每次来理发都是三块,他为什么说是'两块'?大概夏天理发便宜点儿吧。"

　　约翰理发以后,他给理发员两块钱,理发员说:"对不起,不是两块,是三块。"约翰问那个同学:"刚才你说得很清楚,理个发'两块',为什么理发员要我三块?"那个同学回答说:"我说的是'凉快',不是'两块'。"

　　这个故事告诉我们,汉语有些字词读音相同,声调不同,意思也不一样。

汉　字　Chinese Characters

一、生字的结构分析　Structural analyses of the new words.

生字	读音	结构分析	
		部件	笔画和笔顺
步	bù	止	丨 卜 止 止
		少	丨 ⺌ 少
山	shān	山	丨 山 山
末	mò	末	一 二 キ 才 末
网	wǎng	网	丨 冂 冂 冈 网 网
乒	pīng	丘	ノ 厂 斤 丘
		丿	丿

生字	读音	结构分析		
		部件	笔画和笔顺	
乒	pāng	丘	一 厂 斤 斤 丘	
		、	、	
术	shù	术	一 十 才 木 术	
求	qiú	求	一 亅 寸 寸 求 求 求	
比	bǐ	上	一 上	
		匕	丿 匕	
概	gài	木	一 十 才 木	
		既	艮	フ ヲ ヨ 目 艮
			无	一 二 尹 无
夏	xià	一	一	
		自	丿 亻 竹 白 白 自	
		夂	丿 ク 夂	
才	cái	才	一 十 才	
声	shēng	士	一 十 士	
		尸	一 乛 尸 尸	
武	wǔ	武	一 二 三 千 武 武 武	

二、部分生字的部件切分　Segmentation of some of the characters.

1. 跑 pǎo —— 𧾷 包
2. 锻 duàn —— 钅 段
3. 炼 liàn —— 火 东
4. 周 zhōu —— 门 土 口
5. 球 qiú —— 王 求
6. 排 pái —— 扌 非
7. 错 cuò —— 钅 昔
8. 操 cāo —— 扌 品 木
9. 特 tè —— 牛 寺
10. 队 duì —— 阝 人
11. 较 jiào —— 车 交
12. 凉 liáng —— 冫 京
13. 清 qīng —— 氵 青
14. 楚 chǔ —— 林 疋
15. 故 gù —— 古 攵
16. 调 diào —— 讠 周

三、常用部件举例 **Examples of the common components.**

1. 扌：打 找 排 操
2. 攵：教 放 故

练 习 **Exercises**

一、认读练习 **Recognize and read the characters.**

1. 连线识字 Match each character with its corresponding *pinyin* and draw a line to connect each pair.

有	dú
读	qīng
末	běn
本	mò
请	yǒu
清	qǐng
排	fēi
啡	shù
术	mù
木	pái

2. 根据下列拼音连线组词 Make phrases by matching the given characters according to *pinyin* and draw a line to connect each pair.

（1）shēntǐ　　（2）duànliàn　　（3）pǎobù　　（4）páshān

（5）wǎngqiú　　（6）juéde　　（7）cāochǎng　　（8）děnghòu

（9）dàgài　　（10）shēngdiào

体 山 步 炼 场 候 调 得 概 球

爬 跑 身 操 觉 声 锻 等 网 大

3. 给下列词组注音，注意加点的汉字 Transcribe the following phrases into *pinyin*, and pay attention to the dotted characters.

(1) 十点半睡觉　　＿＿＿＿＿＿＿＿＿

觉得很不错　　＿＿＿＿＿＿＿＿＿

(2) 大夫看病　　　＿＿＿＿＿＿＿＿＿

大家都去　　　＿＿＿＿＿＿＿＿＿

(3) 练习发音　　　＿＿＿＿＿＿＿＿＿

理一个发　　　＿＿＿＿＿＿＿＿＿

4. 给下列句子注音并朗读 Transcribe the following sentences into *pinyin* and read them aloud.

(1) 陈亮工作很努力。

＿＿＿＿＿＿＿＿＿＿＿＿＿＿．

(2) 他排球打得特别好。

＿＿＿＿＿＿＿＿＿＿＿＿＿＿．

(3) 李秋游泳游得很快。

＿＿＿＿＿＿＿＿＿＿＿＿＿＿．

(4) 约翰不喜欢运动。

＿＿＿＿＿＿＿＿＿＿＿＿＿＿．

（5）他写汉字写得非常漂亮。

二、阅读练习　Reading exercises.

1. 从 A、B、C 中选择符合所给句义的句子　Choose a sentence close in meaning to each of the given statements.

（1）他乒乓球打得好极了。（　　）

A. 他很喜欢打乒乓球。

B. 他打乒乓球打得非常好。

C. 他经常打乒乓球。

（2）李爱华排球打得很不错。（　　）

A. 李爱华排球打得不太好。

B. 李爱华打排球打得不好。

C. 李爱华排球打得特别好。

（3）汉语有些字词的声调不同,意思也不一样。（　　）

A. 汉语有些字词的声调不同,意思也不同。

B. 汉语有些字词的声调不同,意思也一样。

C. 汉语有些字词的声调不一样,意思也相同。

（4）他有时候也去打乒乓球。（　　）

A. 他经常去打乒乓球。

B. 他不常去打乒乓球。

C. 他常常去打乒乓球。

2. 根据课文一判断正误　Decide whether the following statements are true or false according to Text One.

（1）为了锻炼身体,李爱华每天都去爬香山。　　　　　　（　　）

（2）李爱华网球打得很不错。　　　　　　　　　　　　　（　　）

（3）李爱华很喜欢中国武术,他每天下午在操场练习。　　（　　）

（4）约翰也很喜欢运动,他爬山爬得很快。　　　　　　　（　　）

（5）李爱华有时候也去打乒乓球和排球。　　　　　　　　（　　）

3. 根据课文二回答下列问题　Answer the questions according to Text Two.

（1）去学校理发店理发的人多不多？

（2）约翰常去学校理发店理发吗？

（3）男的夏天理一个发要几块钱？

（4）汉语有些字词发音相同，声调不同，意思一样不一样？

（5）一个中国学生也去理发，他对约翰说什么？

Lesson 10

第十课　2号楼有24层

生　词　New Words

1. 层	（量）	céng	(*a measure word*) story, floor
2. 夫妇	（名）	fūfù	husband and wife
3. 房子	（名）	fángzi	house
4. 花园	（名）	huāyuán	garden
5. 小区	（名）	xiǎoqū	residential quarter
6. 套	（量）	tào	(*a measure word*) set, suite
7. 平方	（名）	píngfāng	square
8. 米	（量）	mǐ	(*a measure word*) meter
9. 从	（介）	cóng	from
10. 向	（介）	xiàng	towards
11. 南	（名）	nán	south
12. 东	（名）	dōng	east
13. 大约	（副）	dàyuē	about
14. 高速公路		gāosù gōnglù	expressway
公路	（名）	gōnglù	highway
15. 西	（名）	xī	west
16. 就	（副）	jiù	right away
17. 北边	（名）	běibian	north
边	（名）	biān	side
18. 方便	（形）	fāngbiàn	convenient
19. 近	（形）	jìn	near
20. 离	（动）	lí	to leave

21. 远	(形)	yuǎn	far
22. 附近	(名)	fùjìn	vicinity
23. 左边	(名)	zuǒbian	left
左	(名)	zuǒ	left
24. 右边	(名)	yòubian	right
右	(名)	yòu	right
25. 生活	(名、动)	shēnghuó	life; to live
26. 中间	(名)	zhōngjiān	middle
27. 前	(名)	qián	front
28. 往	(介、动)	wǎng	towards; to go
29. 后	(名)	hòu	behind
30. 经过	(动)	jīngguò	to pass
31. 起床		qǐ chuáng	to get up
32. 着急	(形)	zháojí	worried
33. 希望	(动)	xīwàng	to hope
34. 迟到	(动)	chídào	to be late
35. 事情	(名)	shìqing	thing
36. 办法	(名)	bànfǎ	method

专 名 Proper Nouns

1. 王中	Wáng Zhōng	Wang Zhong
2. 亚运村	Yàyùn Cūn	Asian Games Village
3. 四环路	Sìhuán Lù	Fourth Ring Road

课 文 Texts

课文一 2号楼有24层

　　王中夫妇买的房子在亚运村花园小区。这套房子有142平方米,在花园小区2号楼18层。2号楼有24层。从小区向南走50米,是四环路,向东走大约500米,是高速公路,向西走100米,就是地铁站。

小区的北边还有公共汽车，交通非常方便。从这儿去王京的学校很近，离王中的公司也不远。小区附近有银行、商店和邮局。银行的左边是医院，右边是幼儿园。生活很方便。

课文二　学校在两个车站的中间

王京每天坐公共汽车去学校。学校在两个车站的中间，两个车站离学校都是350米。在前一站下车，下车以后往前走，需要5分钟，在后一站下车往回走，也需要5分钟。汽车经过两个车站需要10分钟。

一天，王京七点半起床，学校八点开始上课，他很着急。上车以后，他希望司机开快点儿。汽车到前一站的时候，王京想，在这两个车站下车以后，走路都需要5分钟。所以，他在后一站下车。王京到学校的时候，时间是8点零5分。

回家以后，王京告诉妈妈他迟到的事情。妈妈告诉他一个不迟到的办法。你知道是什么办法吗？

汉　字　Chinese Characters

一、生字的结构分析　Structural analyses of the new words.

生字	读音	结构分析	
		部件	笔画和笔顺
妇	fù	女	ㄑ 𡛀 女
		ヨ	𠃌 コ ヨ
区	qū	区	一 フ 乂 区
套	tào	大	一 ナ 大
		县	一 𠃋 𠃌 𠃌 县 县 县

生字	读音	结构分析	
		部件	笔画和笔顺
平	píng	平	一 丷 亓 平 平
向	xiàng	向	(丿 冋) 丿 亻 冂 向 向 向
东	dōng	东	一 七 车 东 东
西	xī	西	一 厂 冂 丙 西 西
离	lí	亠 凶 内	丶 亠 (乂 凵) 丿 乂 凶 凶 (冂 厶) 丨 冂 内 内
希	xī	乂 布	丿 乂 (𠂇 巾) 一 ナ 才 右 布
方	fāng	方	丶 一 宀 方
亚	yà	亚	(一 业) 一 厂 T 亚 亚 亚

二、部分生字的部件切分　Segmentation of some of the characters.

1. 房　fáng　——　户　方
2. 层　céng　——　尸　云
3. 速　sù　——　束　辶
4. 从　cóng　——　人　人
5. 近　jìn　——　斤　辶
6. 附　fù　——　阝　付
7. 左　zuǒ　——　ナ　工
8. 右　yòu　——　ナ　口
9. 前　qián　——　丷　一　月　刂
10. 往　wǎng　——　彳　主
11. 着　zháo　——　羊　目
12. 急　jí　——　刍　心
13. 床　chuáng——　广　木
14. 望　wàng　——　亡　月　王
15. 迟　chí　——　尺　辶
16. 南　nán　——　十　冎
17. 村　cūn　——　木　寸
18. 环　huán　——　王　不

三、常用部件举例　Examples of the common of the components.

1. 彳：很　得　行　往
2. 辶：这　过　迟　远　近　进　速　边　还　通　道　运

74

一、认读练习 Recognize and read the characters.

1. 连线识字 Match each character with its corresponding *pinyin* and draw a line to connect each pair.

房	zuǒ
放	fáng
左	yòu
右	fàng
看	jiān
着	zháo
向	tóng
问	kàn
同	xiàng
间	wèn

2. 根据下列拼音连线组词 Make phrases by matching the given characters according to *pinyin* and draw a line to connect each pair.

（1）huāyuán　　（2）gōnglù　　（3）fāngbiàn　　（4）fùjìn

（5）xīwàng　　（6）píngfāng　　（7）fángzi　　（8）xiǎoqū

（9）jīngguò　　（10）chídào

公	便
花	路
方	子
附	园
房	近
平	过
小	方
经	区
希	到
迟	望

3. 选择合适的汉字填空　Fill in the blanks with the proper characters.

(1) 学校附＿＿＿＿有一个商店。　　　　　　（a. 进　b. 近　c. 远）

(2) 你让我办的事＿＿＿＿还没办。　　　　　（a. 请　b. 清　c. 情）

(3) 他今天没有迟＿＿＿＿。　　　　　　　　（a. 到　b. 道　c. 套）

(4) 你＿＿＿＿学非常着急。　　　　　　　　（a. 向　b. 问　c. 同）

4. 给下列句子注音并朗读　Transcribe the following sentences into *pinyin* and read them aloud.

(1) 他买的房子在花园小区。

　　　＿＿＿＿＿＿＿＿＿＿＿＿＿＿＿＿＿＿.

(2) 中国银行的南边是邮局。

　　　＿＿＿＿＿＿＿＿＿＿＿＿＿＿＿＿＿＿.

(3) 学校的东边有一个地铁站。

　　　＿＿＿＿＿＿＿＿＿＿＿＿＿＿＿＿＿＿.

(4) 从这儿去他们的公司很近。

　　　＿＿＿＿＿＿＿＿＿＿＿＿＿＿＿＿＿＿.

(5) 这儿离高速公路不远。

　　　＿＿＿＿＿＿＿＿＿＿＿＿＿＿＿＿＿＿.

二、阅读练习　Reading exercises.

1. 从 A、B、C 中选择符合所给句义的句子　Choose a sentence close in meaning to each of the given statements.

(1) 花园小区 2 号楼有 24 层。（　　　）

　　　A. 花园小区 2 号楼在 24 层。

　　　B. 花园小区有两个 24 层的楼。

　　　C. 花园小区有 24 层的楼。

(2) 从小区向东走 500 米，是高速公路。（　　　）

　　　A. 从小区向东走 50 米，是高速公路。

　　　B. 从小区向南走 500 米，是高速公路。

　　　C. 东边的高速公路离小区只有 500 米。

（3）银行的左边是医院。（　　　）

    A. 医院在银行的右边。

    B. 医院在银行的左边。

    C. 医院在银行的前边。

（4）词典下边有老师的一本汉语书。（　　　）

    A. 老师的那本汉语书在词典上边。

    B. 词典上边是一本汉语书。

    C. 词典下边有老师的汉语书。

2. 根据课文一判断正误　Decide whether the following statements are true or false according to Text One.

（1）王中夫妇买的那套房子有 142 平方米。　　　　　　　　（　　　）

（2）从小区向南走 50 米是四环路。　　　　　　　　　　　（　　　）

（3）王中的公司离他买的那套房子很近。　　　　　　　　　（　　　）

（4）花园小区的交通很方便。　　　　　　　　　　　　　　（　　　）

（5）从这儿去王京的学校也不远。　　　　　　　　　　　　（　　　）

3. 根据课文二回答问题　Answer the questions according to Text Two.

（1）王京每天怎么去学校？

（2）他们学校几点开始上课？

（3）公共汽车站离学校有多远？

（4）王京在前一站下车往前走，需要几分钟？

Lesson 11

第十一课　我正在北京学习

生　词　New Words

1.	正在	（副）	zhèngzài	in the process
2.	怎么样	（代）	zěnmeyàng	how
3.	季节	（名）	jìjié	season
	季	（名）	jì	season
4.	春天	（名）	chūntiān	spring
5.	晴	（形）	qíng	fine
6.	阴	（形）	yīn	cloudy
7.	刮	（动）	guā	to blow（wind）
8.	风	（名）	fēng	wind
9.	雨	（名）	yǔ	rain
10.	七	（数）	qī	seven
11.	最	（副）	zuì	most
12.	月份	（名）	yuèfèn	month
13.	气温	（名）	qìwēn	temperature
14.	度	（量）	dù	（a measure word）degree
15.	冬天	（名）	dōngtiān	winter
16.	雪	（名）	xuě	snow
17.	如果	（连）	rúguǒ	if
18.	打算	（动、名）	dǎsuan	to plan; plan
19.	旅游	（动）	lǚyóu	to travel, to tour
20.	秋天	（名）	qiūtiān	autumn
21.	九	（数）	jiǔ	nine

22. 名胜	(名)	míngshèng	scenic spot
23. 古迹	(名)	gǔjì	historical site
24. 发展	(动)	fāzhǎn	to develop
25. 当	(动)	dāng	to be, to serve as
26. 导游	(名)	dǎoyóu	tour guide
27. 研究	(动)	yánjiū	to research
28. 种	(动)	zhòng	to plant
29. 蔬菜	(名)	shūcài	vegetable
30. 技术	(名)	jìshù	technology
31. 农业	(名)	nóngyè	agriculture
32. 教	(动)	jiāo	to teach
33. 农民	(名)	nóngmín	farmer
34. 西红柿	(名)	xīhóngshì	tomato
35. 大棚	(名)	dàpéng	greenhouse
36. 品种	(名)	pǐnzhǒng	breed, type
37. 管理	(动)	guǎnlǐ	to manage
38. 长	(动)	zhǎng	to grow

课　文　Texts

课文一　我正在北京学习

现在，我正在北京学习。我的朋友经常问我："北京的天气怎么样？"今天，我给大家介绍一下儿。

北京一年有四个季节。从三月到五月是春天，春天晴天很多，阴天很少，常常刮风。六月到八月是夏天，夏天经常下雨。七八月是北京最热的月份，有时候气温到38度。从十二月到二月是冬天，北京的冬天很冷，下雪也比较少。如果你打算来北京旅游，请你秋天来。北京的秋天从九月到十一月，天气不冷也不热，是旅游的最好季节。

北京的名胜古迹很多,北京的发展也很快,你们来吧,我给你们当导游。

课文二　他在研究种蔬菜的新技术

约翰和王中去看张先生。张先生是农业大学的老师,在研究种蔬菜的新技术。他们去的时候,张老师正在教农民用新技术种西红柿。

他请约翰和王中参观蔬菜大棚,一边参观,张老师一边介绍说,他们这儿生产的都是绿色蔬菜,蔬菜的品种很多,还有不少外国品种。他们用电脑管理,一年四季,蔬菜长得都很好。他还介绍说,不少外国朋友来北京旅游,也常去参观他们的蔬菜大棚。

汉　字　Chinese Characters

一、生字的结构分析　Structural analyses of the new words.

生字	读音	结构分析	
		部件	笔画和笔顺
节	jié	艹	一 十 艹
		卩	⊐ 卩
春	chūn	夫	(三人) 一 二 三 丰 夫
		日	丨 冂 日 日
风	fēng	几	丿 几
		乂	乂 乂
雨	yǔ	雨	一 冂 冂 而 雨 雨 雨
旅	lǚ	方	丶 一 宀 方
		𠂉	丿 𠂉
		𧘇	一 宀 𧘇 𧘇

生字	读音	结构分析		
		部件		笔画和笔顺
展 zhǎn	zhǎn	尸		ᄀ ᄀ 尸
		共		一 十 共
		ᄊ		ᄂ ᄂ ᄊ
蔬 shū	shū	艹		一 十 艹
		疏	正	(ᄀ 止) ᄀ ᄀ ᄀ ᄀ 正
			㐬	(ᄂ ᄼ ノ) ゙ ᅩ 云 云 产 㐬
农 nóng	nóng	农		` ᄀ 少 农 农 农
管 guǎn	guǎn	竹		ノ ᄼ ᄼ ᄼ 竺 竺
		官	宀	` ` 宀
			吕	ᅵ ㄼ ㄸ 吕 吕

二、部分生字的部件切分 Segmentation of some of the characters.

1. 季 jì —— 禾 子
2. 晴 qíng —— 日 青
3. 阴 yīn —— 阝 月
4. 最 zuì —— 日 取
5. 温 wēn —— 氵 昷
6. 度 dù —— 广 廿 又
7. 刮 guā —— 舌 刂
8. 雪 xuě —— 雨 彐
9. 如 rú —— 女 口
10. 研 yán —— 石 开
11. 究 jiū —— 穴 九
12. 技 jì —— 扌 支
13. 柿 shì —— 木 市
14. 棚 péng —— 木 朋
15. 胜 shèng —— 月 生
16. 迹 jì —— 亦 辶
17. 导 dǎo —— 巳 寸
18. 当 dāng —— 业 彐
19. 品 pǐn —— 口 口 口

三、常用部件举例 Examples of the common of the components.

1. 艹：茶 花 药 蔬 菜
2. 木(朩)：本 末 术 机 极 相 杯 村 李 棚

一、认读练习　**Recognize and read the characters.**

1. 连线识字　**Match each character with its corresponding *pinyin* and draw a line to connect each pair.**

晴	tián
清	lǐ
李	qíng
季	qīng
甜	jì
刮	guā
究	nóng
空	yī
衣	kōng
农	jiū

2. 根据下列拼音连线组词　**Make phrases by matching the given characters according to *pinyin* and draw a line to connect each pair.**

（1）zhèngzài　（2）jìjié　（3）chūntiān　（4）nóngyè　（5）qìwēn
（6）lǚyóu　（7）yánjiū　（8）fāzhǎn　（9）guǎnlǐ　（10）jìshù

旅	节
技	天
季	游
春	术
正	业
气	在
农	温
研	理
发	究
管	展

3. 选择合适的汉字填空　Fill in the blanks with the proper characters.

(1) 明大是_____天。　　　　　　　　　　（a. 情　b. 清　c. 晴）

(2) 北京的_____季最热。　　　　　　　　（a. 下　b. 夏　c. 雨）

(3) _____天很凉快。　　　　　　　　　　（a. 阴　b. 音　c. 银）

(4) 北京一年有四个_____节。　　　　　　（a. 机　b. 季　c. 极）

4. 给下列句子注音并朗读　Transcribe the following sentences into _pinyin_ and read them aloud.

(1) 约翰正在北京学习汉语。

　　　_____.

(2) 张老师在研究种蔬菜的新技术。

　　　_____.

(3) 我去找他的时候，他正在看电视。

　　　_____.

(4) 北京一年有春、夏、秋、冬四个季节。

　　　_____.

(5) 秋天是来这儿旅游的最好季节。

　　　_____.

(6) 从 12 月到 2 月是北京的冬天。

　　　_____.

二、阅读练习　Reading exercises.

1. 从 A、B、C 中选择符合所给句义的句子　Choose a sentence close in meaning to each of the given statements.

(1) 北京一年有春、夏、秋、冬四个季节。（　　）

　　　A. 北京一年有夏天和冬天。

　　　B. 北京一年有四个季节。

　　　C. 北京一年有春季、夏季、雨季和冬季。

(2) 张老师在研究种蔬菜的新技术。（　　）

　　A. 张老师现在研究种蔬菜的新技术。

　　B. 张老师在大棚研究种蔬菜的新技术。

　　C. 张老师还在研究种蔬菜的新技术。

(3) 北京的冬天很冷，下雪也比较少。（　　）

　　A. 北京的冬天很冷，下雪不太少。

　　B. 北京的冬天很冷，下雪不太多。

　　C. 北京的冬天很冷，下雪也特别少。

(4) 六月到八月是北京的夏天。（　　）

　　A. 六月和八月是北京的夏天。

　　B. 六、七、八三个月是北京的夏天。

　　C. 七八月份是北京的夏天。

2. 根据课文一判断正误　Decide whether the following statements are true or false according to Text One.

(1) 北京的冬季是从十月到十二月。　　　　　　　　　　（　　）

(2) 北京的春天，晴天不多，常常下雨。　　　　　　　　（　　）

(3) 秋天是北京旅游的最好季节。　　　　　　　　　　　（　　）

(4) 七月和八月是北京最热的月份。　　　　　　　　　　（　　）

(5) 北京有很多名胜古迹。　　　　　　　　　　　　　　（　　）

(6) 北京的夏天，有时候气温到 38 度。　　　　　　　　（　　）

3. 根据课文二回答下列问题　Answer the questions according to Text Two.

(1) 张老师在研究什么技术？

(2) 张老师正在教谁用新技术种西红柿？

(3) 农民用什么管理蔬菜大棚？

(4) 他们种的蔬菜长得怎么样？

(5) 他们种的蔬菜有没有外国品种？

Lesson 12

第十二课　小冬只会打字

生　词　New Words

1. 会	（能动）	huì	to be able to
2. 打字		dǎ zì	to type
3. 办公室	（名）	bàngōngshì	office
4. 老板	（名）	lǎobǎn	boss
5. 机票	（名）	jīpiào	air ticket
6. 一会儿	（名）	yíhuìr	a little while
7. 早	（形）	zǎo	early
8. 失望	（形）	shīwàng	disappointed
9. 飞机	（名）	fēijī	plane
10. 来不及	（动）	láibují	to be unable to do sth. in time
11. 试	（动）	shì	to try
12. 帅	（形）	shuài	smart, handsome
13. 出差		chū chāi	to go on a business trip
14. 重要	（形）	zhòngyào	important
15. 会议	（名）	huìyì	meeting
16. 而且	（连）	érqiě	and
17. 最近	（名）	zuìjìn	recently, lately
18. 挑选	（动）	tiāoxuǎn	to choose
19. 秘书	（名）	mìshū	secretary
20. 得	（能动）	děi	should
21. 能	（能动）	néng	can, to be able to

22. 干	（动）	gàn	to do
23. 跟	（介）	gēn	with
24. 度	（动）	dù	to spend（time）
25. 蜜月	（名）	mìyuè	honeymoon
26. 应该	（能动）	yīnggāi	should
27. 想	（动）	xiǎng	to want
28. 到处	（副）	dàochù	everywhere
29. 中式	（形）	zhōngshì	Chinese-style
30. 裁缝	（名）	cáifeng	tailor
31. 终于	（副）	zhōngyú	at last
32. 街	（名）	jiē	street
33. 发现	（动）	fāxiàn	to find
34. 世界	（名）	shìjiè	world
35. 一直	（副）	yìzhí	straight
36. 而	（连）	ér	but

专 名 Proper Nouns

1. 小冬	Xiǎo Dōng	Xiao Dong
2. 小夏	Xiǎo Xià	Xiao Xia

课 文 Texts

课文一　小冬只会打字

　　小冬和小夏是两个漂亮的女孩子,在一个办公室上班,工作都很努力。一天上午,老板对小冬说:"你去买两张今天晚上八点的机票。"一会儿,小冬告诉老板,最早的机票是晚上十一点半的。老板非常失望地说,十一点半的飞机来不及。这时候,小夏说:"老板,让我试试怎么样?"小夏想,老板今天穿得很帅,他一定是去出差,参加一个重要的会议。而且,大家都知道,老板最近正在挑选秘书,我一定得想办法买两张八点的机票。小冬只会打字,她还能干什么呢?

下午四点,小夏给了老板两张机票,是晚上八点的。老板说:"从明天开始,你做我的秘书。"小夏说:"谢谢。可是小冬呢?"

老板告诉小夏,他跟小冬要去度蜜月,今晚八点的飞机。

课文二　这家应该是最好的

约翰想做一套打太极拳穿的衣服。他到处找做中式衣服的裁缝店。终于在学校附近的一条小街上,发现了三家做中式衣服的小店。第一家小店的名字是"北京第一家",第二家的名字是"中国第一家"。约翰觉得小店的名字很有意思。他想,第三家应该是"世界第一家"。他一直往前走,可是,第三家的名字不是"世界第一家",而是"小街第一家"。他想,这家应该是最好的。

汉　字　Chinese Characters

一、生字的结构分析　Structural analyses of the new words.

生字	读音	结构分析	
		部件	笔画和笔顺
飞	fēi	飞	乁 飞 飞
失	shī	失	(丿 夫) 丿 一 二 失 失
蜜	mì	宀	丶 丷 宀
		必	(心 丿) 丿 心 心 必 必
		虫	(中 虫) 丶 口 口 中 虫 虫
裁	cái	𢧐	一 十 土 圡 圭 圭 卦 表 表 裁 裁 裁
		衣	

生字	读音	结构分析	
		部件	笔画和笔顺
于	yú	于	一 二 于
干	gàn	干	一 二 干
世	shì	世	(廿世) 一 十 廿 廿 世
能	néng	厶 (月)	厶： 丶 厶
			月： 丿 冂 月 月
		匕 (匕)	匕： 丿 匕
			匕： 丿 匕
直	zhí	直	一 十 古 古 直 直 直 直
而	ér	而	一 ｢ 冂 丙 而 而
且	qiě	且	丨 冂 月 月 且

二、部分生字的部件切分　Segmentation of some of the characters.

1. 板 bǎn —— 木 反
2. 会 huì —— 人 云
3. 跟 gēn —— 昆 艮
4. 帅 shuài —— 丿 巾
5. 秘 mì —— 禾 必
6. 街 jiē —— 彳 圭 亍
7. 该 gāi —— 讠 亥
8. 议 yì —— 讠 义
9. 处 chù —— 夂 卜
10. 挑 tiāo —— 扌 兆
11. 缝 féng —— 纟 辶 夆
12. 选 xuǎn —— 辶 先
13. 终 zhōng —— 纟 冬
14. 界 jiè —— 田 介

三、常用部件举例　Examples of the common components.

1. 扌：挑 找 报 打 技 排 招 换 操 拐 据
2. 口：啊 喝 叫 咖 啡 吗 呢 哪 吃 吧 号

一、认读练习 **Recognize and read the characters**.

1. 连线识字 **Match each character with its corresponding *pinyin* and draw a line to connect each pair.**

饭	shuài
板	shī
帅	fàn
师	bǎn
跟	hěn
银	gēn
很	yín
该	gāi
孩	kè
刻	hái

2. 根据下列拼音连线组词 **Make phrases by matching the given characters according to *pinyin* and draw a line to connect each pair.**

(1) zhòngyào   (2) shīwàng   (3) shìjiè   (4) yīnggāi
(5) dàochù   (6) chūchāi   (7) tiāoxuǎn   (8) lǎobǎn
(9) mìshū   (10) mìyuè

蜜	要
秘	望
重	月
失	差
老	书
出	处
到	板
挑	界
应	选
世	该

3. 选择合适的汉字填空 Fill in the blanks with the proper characters.

(1) 他到_____找你。 （a. 外 b. 处 c. 多）

(2) 小王_____你一起去。 （a. 很 b. 银 c. 跟）

(3) 约翰想做中_____衣服。 （a. 试 b. 室 c. 式）

(4) 经理在_____公室。 （a. 办 b. 为 c. 力）

(5) 他终_____发现一家裁缝店。 （a. 千 b. 于 c. 干）

4. 给下列句子注音并朗读 Transcribe the following sentences into *pinyin* and read them aloud.

(1) 他一定得参加今天的会议。

    _____.

(2) 小冬只会打字。

    _____.

(3) 她还能干什么呢?

    _____?

(4) 这家应该是最好的。

(5) 他们现在去还来得及。

    _____.

二、阅读练习 Reading exercises.

1. 从 A、B、C 中选择符合所给句义的句子 Choose a sentence close in meaning to each of the given statements.

(1) 小王和小李在一个办公室上班。（　　）

    A. 小王跟小李在一个办公室工作。

    B. 小王在公司上班,小李在医院上班。

    C. 小王和小李不在一个办公室上班。

(2) 老板今天穿得很帅。（　　）

    A. 老板今天穿的衣服很贵。

    B. 老板今天穿得特别漂亮。

    C. 老板今天穿的衣服很新。

(3) 小冬只会打字,她还能干什么呢?(　　)

    A. 小冬会打字,她还能干很多事情。

    B. 小冬只会打字,很多工作她不会做。

    C. 小冬只会打字,她工作不太努力。

(4) 我常常开车上班,可是今天我想坐公共汽车上班。(　　)

    A. 我常常坐公共汽车上班。

    B. 我今天开车上班。

    C. 我会开车,可是今天我不开车上班。

2. 根据课文一判断正误　Decide whether the following statements are true or false according to Text One.

(1) 小冬和小夏同在一个办公室。 (　　)

(2) 老板要买一张八点半的机票。 (　　)

(3) 老板正在挑选秘书。 (　　)

(4) 小冬是老板的爱人。 (　　)

(5) 老板挑选小夏当秘书。 (　　)

3. 根据课文二回答下列问题　Answer the questions according to Text Two.

(1) 约翰要做一套什么样式的衣服?

(2) 他在哪儿发现做中式衣服的裁缝店?

(3) 第二家裁缝店叫什么名字?

(4) 约翰觉得哪家做得最好?

(5) 约翰为什么要做一套中式衣服?

Lesson 13

第十三课　最好的生日礼物

生　词　New Words

1. 礼物	（名）	lǐwù	gift
2. 听说	（动）	tīngshuō	to hear of
听	（动）	tīng	to hear
3. 人员	（名）	rényuán	personnel
4. 容易	（形）	róngyì	easy
5. 顺利	（形）	shùnlì	successful
6. 通过	（动）	tōngguò	to pass
7. 然后	（连）	ránhòu	then
8. 面试	（动）	miànshì	interview
9. 最后	（名）	zuìhòu	the last
10. 秘密	（名）	mìmì	secret
11. 离开		lí kāi	to leave
12. 聘用	（动）	pìnyòng	to employ
13. 把	（介）	bǎ	*used when the object is the receiver of the action of the ensuing verb*
14. 忘	（动）	wàng	to forget
15. 了	（助）	le	*a particle*
16. 晚会	（名）	wǎnhuì	evening party
17. 蛋糕	（名）	dàngāo	cake

18. 照相机	(名)	zhàoxiàngjī	camera
19. 唱	(动)	chàng	to sing
20. 歌	(名)	gē	song
21. 快乐	(形)	kuàilè	happy
22. 健康	(形)	jiànkāng	healthy
23. 突然	(形)	tūrán	sudden
24. 报到	(动)	bàodào	to report for duty
25. 鱼	(名)	yú	fish
26. 越来越		yuè lái yuè	the more... the more...
27. 爷爷	(名)	yéye	grandfather
28. 邻居	(名)	línjū	neighbor
29. 孙子	(名)	sūnzi	grandson
30. 河	(名)	hé	river
31. 钓	(动)	diào	to fish
32. 散步		sàn bù	to take a walk
33. 条	(量)	tiáo	*a measure word*
34. 肥	(形)	féi	fat
35. 拿	(动)	ná	to take
36. 当时	(名)	dāngshí	that time
37. 因为	(连)	yīnwèi	because

专 名 **Proper Noun**

大中公司	Dàzhōng Gōngsī	Dazhong Company

课文一 最好的生日礼物

　　小赵对现在的工作不太满意。听说大中公司招聘技术人员，所以他去应聘。应聘要经过两种考试。一种是英语考试，英语考试很容易，小赵很顺利地通过了。然后是面试。面试的时候，经理问了小赵很多问题，他都很顺利地回答了。经理问的最后一个问题是："请你告诉我你现在的公司的技术秘密。"小赵想了想，回答说："经理，对不起，我不能回答你这个问题。"然后他离开了经理的办公室。小赵想：大中公司一定不会聘用我，所以很快就把这事忘了。

　　6月8号是小赵的生日，一家人举行了一个生日晚会。他爱人和孩子给他买了生日蛋糕，他爸爸妈妈送了他一个照相机，大家为他唱了生日歌，祝他生日快乐、健康幸福，小赵非常高兴。突然，有人给他打电话，打电话的人说："赵先生，你好，我是大中公司的经理，我们公司决定聘用你，请你明天来公司报到。今天是你的生日吧？祝你生日快乐！"小赵说："经理，谢谢您，这是我最好的生日礼物。"

课文二 河里的鱼越来越少

　　张爷爷是我家的邻居，他孙子小华是我的同学。每年夏天，张爷爷都去河边钓鱼，可是，河里的鱼越来越少，也越来越小，钓鱼很不容易。

　　一天，我要去散步的时候，张爷爷来我家了，他手里有一条又肥又大的鱼。我拿了鱼对他说："谢谢张爷爷。"当时，张爷爷没有说话。半个月以后，小华告诉我，那天他爷爷来我家，不是为了给我们送鱼，他只是想让我们看看，因为那是他今年夏天钓的第一条大鱼。听了小华的话，我觉得很对不起张爷爷。我希望他今年夏天还能钓更多的大鱼。

汉 字 Chinese Characters

一、生字的结构分析 Structural analyses of the new words.

生字	读音	结构分析		
		部件	笔画和笔顺	
容	róng	宀	丶 丶 宀	
		谷	(八人口)丿 八 夕 父 父 谷 谷	
然	rán	夕	丿 ク 夕 夕	
		犬	(大丶)一 ナ 大 犬	
		灬	丶 丶 灬 灬	
健	jiàn	亻	丿 亻	
		聿	フ ㇆ ㇕ ㇕ ㇕ 聿	
		廴	フ ㇋ 廴	
康	kāng	广	丶 一 广	
		隶	フ ㇕ ㇕ 聿 聿 聿 聿 隶	
鱼	yú	鱼	丿 ク 夕 冎 冎 角 鱼 鱼	
越	yuè	走	一 十 土 土 キ 走 走	
		戉	㇆ 戈 戊 戉	

二、部分生字的部件切分 Segmentation of some of the characters.

1. 听 tīng —— 口 斤
2. 顺 shùn —— 川 页
3. 利 lì —— 禾 刂
4. 密 mì —— 宀 必 山
5. 忘 wàng —— 亡 心
6. 蛋 dàn —— 疋 虫
7. 糕 gāo —— 米 羔
8. 物 wù —— 牛 勿
9. 突 tū —— 穴 犬
10. 把 bǎ —— 扌 巴
11. 照 zhào —— 昭 灬
12. 唱 chàng —— 口 昌

13. 歌　gē　——哥　欠　　14. 爷　yé　——父　卩
15. 邻　lín　——令　卩　　16. 居　jū　——尸　古
17. 孙　sūn　——子　小　　18. 河　hé　——氵　可
19. 钓　diào　——钅　勺　　20. 散　sàn　——昔　月　攵
21. 条　tiáo　——夂　木　　22. 肥　féi　——月　巴
23. 因　yīn　——口　大

三、常用部件举例　Examples of the common components.

1. 口：国　园　因　图
2. 灬：点　热　然　照

练　习　Exercises

一、认读练习　Recognize and read the characters.

1. 连线识字　Match each character with its corresponding *pinyin* and draw a line to connect each pair.

听　　　　　shào
新　　　　　zhào
照　　　　　tīng
绍　　　　　xīn
唱　　　　　hē
喝　　　　　féi
忘　　　　　máng
忙　　　　　chàng
肥　　　　　bǎ
把　　　　　wàng

2. 根据下列拼音连线组词　Make phrases by matching the given characters according to *pinyin* and draw a line to connect each pair.

（1）róngyì　（2）shùnlì　（3）jiànkāng　（4）línjū　（5）sànbù

（6）pìnyòng　（7）tūrán　（8）tōngguò　（9）mìmì　（10）lǐwù

聘	易
容	康
突	用
健	然
邻	物
秘	利
礼	居
顺	密
通	步
散	过

3. 选择合适的汉字填空　Fill in the blanks with the proper characters.

（1）他们明天去度_____月。　　（a. 密　b. 蜜　c. 秘）

（2）公司要举行考_____。　　（a. 试　b. 式　c. 室）

（3）他_____了一支歌。　　（a. 喝　b. 吃　c. 唱）

（4）他钓了一条又_____又大的鱼。　　（a. 把　b. 肥　c. 吧）

（5）他们的生_____越来越好。　　（a. 刮　b. 甜　c. 活）

4. 给下列句子注音并朗读　Transcribe the following sentences into *pinyin* and read them aloud.

（1）小赵很顺利地通过了英语考试。

　　_____.

（2）经理问了一个不能回答的问题。

　　_____.

（3）他很快就把这事忘了。

　　_____.

（4）他因为头疼，所以没有来上班。

_____

（5）约翰汉语说得越来越好。

_____.

（6）现在电脑越来越便宜。

_____.

二、阅读练习　Reading exercises.

1. 从 A、B、C 中选择符合所给句义的句子　Choose a sentence close in meaning to each of the given statements.

（1）小赵对现在的工作不太满意。（　　）

  A. 小赵现在不太高兴。

  B. 小赵不太喜欢现在的工作。

  C. 小赵现在的工作不太容易。

（2）英语考试很容易。（　　）

  A. 英语考试很不错。

  B. 英语考试很顺利。

  C. 英语考试不难。

（3）他是我们家的邻居。（　　）

  A. 他跟我们在一起住。

  B. 他家离我们家很近。

  C. 他在我们家住。

（4）请你明天来公司报到。（　　）

  A. 请你明天来公司上班。

  B. 请你明天来公司面试。

  C. 请你明天来公司看看。

2. 根据课文一判断正 Decide whether the following statements are true or false according to Text One.

(1) 大中公司要招聘技术员。 （　）

(2) 小赵的英语考试不太顺利。 （　）

(3) 经理问的最后一个问题是小赵现在的公司的技术秘密。 （　）

(4) 小赵把去大中公司应聘的事忘了。 （　）

(5) 小赵觉得大中公司一定会聘用他。 （　）

(6) 大中公司的经理决定聘用小赵。 （　）

3. 根据课文二回答下列问题 Answer the questions according to Text Two.

(1) 谁是小华的同学？

(2) 张爷爷每年夏天喜欢做什么？

(3) 张爷爷是想给小华那条大鱼吗？

(4) 小华为什么觉得对不起张爷爷？

(5) 现在河里的鱼多不多？

Lesson 14

第十四课　老奶奶的病好了

生　词　New Words

1. 奶奶	（名）	nǎinai	grandmother
2. 病人	（名）	bìngrén	patient
3. 女孩儿		nǔ háir	girl
4. 得	（动）	dé	to contract（a disease）
5. 肺炎	（名）	fèiyán	pneumonia
肺	（名）	fèi	lung
6. 发烧		fā shāo	to have a fever
7. 咳嗽	（动）	késou	to cough
8. 不过	（连）	búguò	but
9. 担心		dān xīn	to worry
10. 伤心		shāng xīn	to be heart-broken
11. 笑	（动）	xiào	to laugh
12. 东西	（名）	dōngxi	thing
13. 瘦	（形）	shòu	thin
14. 检查	（动）	jiǎnchá	to check
15. 量	（动）	liáng	to measure
16. 体温	（名）	tǐwēn	body temperature
17. 病历	（名）	bìnglì	medical record
18. 癌	（名）	ái	cancer
19. 情况	（名）	qíngkuàng	condition
20. 聊天儿		liáo tiānr	to chat
聊	（动）	liáo	to chat

21. 手术	（名）	shǒushù	operation
22. 高尔夫	（名）	gāo'ěrfū	golf
23. 赢	（动）	yíng	to win
24. 输	（动）	shū	to lose
25. 比赛	（动、名）	bǐsài	to compete; match
26. 奖金	（名）	jiǎngjīn	bonus
27. 准备	（动）	zhǔnbèi	to prepare
28. 哭	（动）	kū	to cry
29. 带	（动）	dài	to take
30. 丢	（动）	diū	to lose
31. 厉害	（形）	lìhai	serious
32. 住院		zhù yuàn	to be in hospital
33. 可能	（副）	kěnéng	possibly
34. 死	（动）	sǐ	to die
35. 了解	（动）	liǎojiě	to know
36. 坏	（形）	huài	bad
37. 消息	（名）	xiāoxi	news
38. 对……来说		duì……láishuō	as far as ... is concerned

专 名 Proper Noun

大卫　　　　　　　Dàwèi　　　　　　　David

课 文 Texts

课文一　老奶奶的病好了

　　医院里有两个病人,一个小女孩儿和一个老奶奶。小女孩儿得了肺炎,她发烧、咳嗽。不过,大夫说,她很快就可以离开医院去上学,所以她不担心。可是老奶奶每天都很伤心,不说不笑,东西吃得很少,身体越来越瘦。大夫每天给老奶奶检查身体，量体温，可是不告诉她得了什么病。一天晚上，老奶奶从大夫那儿偷了自己的病历，可是老奶奶不认识字，她请小女孩儿帮她看看。小女孩儿一看，病历上写的是："肺癌。"小女孩儿想："我不能把这个情况告诉老奶奶。"所以她对老奶奶说："您也得了肺炎，不用担心，很快就会好的。"老奶奶笑了。那天晚上，老奶奶睡得很好。第二天，老奶奶开始跟小女孩儿聊天儿，两个人有说有笑。第三天，大夫给老奶奶做了手术，手术很顺利。半个月以后，小女孩儿和老奶奶的病都好了，她们一起离开了医院。

课文二　她现在没有钱了

大卫打高尔夫球打得非常好。他经常赢，很少输。一次，他赢了一场高尔夫比赛，得了两万元的奖金。在他准备回家的时候，他的车旁边有一个女人哭得很伤心。大卫问她为什么哭，那个人说，刚才她带孩子去看病，把钱丢了，她的孩子病得很厉害，大夫说得住院，可是她现在没有钱了，她的孩子可能会死。大卫了解了这个情况，把两万元奖金给了她。

一个星期以后，大卫去参加一个晚会。晚会上，一个朋友对他说："大卫，我要告诉你一个坏消息。上个星期那个哭得很伤心的女人，没有得病的孩子，她还没有结婚呢。""什么？她没有得病的孩子？"大卫说，"对我来说，这是这个星期最好的消息。"

汉 字 Chinese Characters

一、生字的结构分析 Structural analyses of the new words.

生字	读音	结构分析		
		部件		笔画和笔顺
烧	shāo	火		、ソ 少 火
		尧	弋	七 弋
			兀	(一 儿 兀) 一 丆 兀
瘦	shòu	疒		、亠 广 疒 疒
		叟		、丨 彐 彐 臼 臾 叟 叟
检	jiǎn	木		一 十 才 木
		金		(人一金) ノ 人 个 今 仐 佥 佥 金
聊	liáo	耳		一 「 ㄇ 耳 耳 耳
		卯		(卩 卩 卯) ノ 卩 卩 卯 卯
金	jīn	金		(人干丶一) ノ 人 个 今 仐 佥 佥 金
尔	ěr	尔		(𠂉小) ノ 𠂉 个 尓 尔

注:"金"字在汉字的左边写做"钅",如:银行。

Note: "金" is written as a radical "钅" when used as the left part of a Chinese character, e.g. "银行".

二、部分生字的部件切分 Segmentation of some of the characters.

1. 肺 fèi —— 月 市
2. 炎 yán —— 火 火
3. 咳 ké —— 口 亥
4. 嗽 sòu —— 口 束 欠
5. 担 dān —— 扌 旦
6. 伤 shāng —— 亻 𠂉 力
7. 笑 xiào —— 竹 夭
8. 查 chá —— 木 旦

103

9. 量 liáng —— 日一里   10. 历 lì —— 厂 力

11. 癌 ái —— 疒品山   12. 况 kuàng —— 冫兄

13. 赢 yíng —— 亡口月贝凡   14. 输 shū —— 车俞

15. 奖 jiǎng —— 丬夕大   16. 哭 kū —— 口口犬

17. 厉 lì —— 厂万   18. 害 hài —— 宀丰口

19. 解 jiě —— 角刀牛   20. 坏 huài —— 土不

21. 消 xiāo —— 氵肖   22. 息 xī —— 自心

23. 死 sǐ —— 一夕匕   24. 带 dài —— 卅冖巾

25. 丢 diū —— 丿去   26. 奶 nǎi —— 女乃

三、常用部件举例 Examples of the common components.

1. 疒：疼 病 癌 瘦

2. 月：朋 肚 服 肺 脑

练 习 Exercises

一、认读练习 Recognize and read the characters.

1. 连线识字 Match each character with its corresponding *pinyin* and draw a line to connect each pair.

咳	hái
孩	dài
带	ké
常	huài
环	cháng
坏	shū
丢	huán
去	diū
输	tōu
偷	qù

2. 根据下列拼音连线组词 Make phrases by matching the given characters according to *pinyin* and draw a line to connect each pair.

（1）dānxīn　（2）fāshāo　（3）qíngkuàng　（4）jiǎngjīn　（5）lìhai

（6）bìnglì　（7）liǎojiě　（8）xiāoxi　（9）kěnéng　（10）tǐwēn

发	金
担	况
奖	烧
情	心
厉	息
病	害
消	历
了	能
体	解
可	温

3. 选择合适的汉字填空 Fill in the blanks with the proper characters.

（1）这是老奶奶的病_____。　　　（a. 力　b. 历　c. 厉）

（2）小赵告诉他一个_____消息。　（a. 环　b. 还　c. 坏）

（3）他应该_____院。　　　　　　（a. 住　b. 往　c. 注）

（4）他们都_____得很伤心。　　　（a. 笑　b. 突　c. 哭）

（5）他可能了解_____况。　　　　（a. 晴　b. 情　c. 清）

4. 给下列句子注音并朗读 Transcribe the following sentences into *pinyin* and read them aloud.

（1）小女孩儿和老奶奶的病都好了。

_____.

（2）她不能把这个情况告诉老奶奶。

_____.

（3）大夫给老奶奶做了手术。

_____.

(4) 大卫把两万块奖金给她了。

_____

(5) 他赢了一场高尔夫比赛。

_____

二、阅读练习　Reading exercises.

1. 从 A、B、C 中选择符合所给句义的句子　Choose a sentence close in meaning to each of the given statements.

(1) 她很快就可以离开医院去上学。（　　）

　　A. 医院离学校很近。

　　B. 她很快就可以在医院里学习。

　　C. 她的病很快就会好,也可以很快去上学了。

(2) 老奶奶开始跟小女孩儿聊天儿。（　　）

　　A. 老奶奶常常跟小女孩儿说话。

　　B. 老奶奶开始跟小女孩儿说说生活小事。

　　C. 老奶奶开始跟他的孙子聊天儿。

(3) 大卫的朋友告诉他一个坏消息。（　　）

　　A. 大卫的朋友告诉他一个很不好的消息。

　　B. 大卫的朋友告诉他一个新消息。

　　C. 大卫告诉他朋友一个很奇怪的消息。

(4) 大卫了解了这个女人的情况。（　　）

　　A. 大卫听这个女人说情况。

　　B. 大卫知道了这个女人的情况。

　　C. 大卫去问这个女人的情况。

2. 根据课文一回答下列问题　Answer the questions according to Text One.

(1) 小女孩儿得了什么病？

(2) 小女孩儿为什么不担心自己的病？

(3) 老奶奶知道自己得了什么病吗？

(4) 小女孩儿把老奶奶得了肺癌的情况告诉她了吗？

(5) 看了老奶奶的病历以后,小女儿孩对老奶奶说什么了?

(6) 老奶奶的手术做得顺利不顺利?

(7) 小女孩儿和老奶奶什么时候一起离开了医院?

(8) 小女孩儿不把老奶奶得了肺癌的情况告诉她,你觉得小女孩儿这样
做好不好?

3. 根据课文二判断正误　Decide whether the following statements are true or false according to Text Two.

(1) 大卫高尔夫球打得特别好。 （　　）

(2) 大卫把两万元奖金给了那个哭得很伤心的女人。 （　　）

(3) 那个女人说她的孩子病得很厉害。 （　　）

(4) 她把病得很厉害的孩子丢了,她的孩子可能会死。 （　　）

(5) 那个女人结婚了,可是她还没有孩子。 （　　）

Lesson 15

第十五课　你们可能就要输了

生　词　New Words

1. 工人	（名）	gōngrén	worker
2. 足球	（名）	zúqiú	football
3. 队	（名）	duì	team
4. 队员	（名）	duìyuán	team member
5. 体育场	（名）	tǐyùchǎng	stadium
6. 进行	（动）	jìnxíng	to carry out
7. 水平	（名）	shuǐpíng	level
8. 低	（形）	dī	low
9. 昨天	（名）	zuótiān	yesterday
10. 接	（动）	jiē	to pick up
11. 儿子	（名）	érzi	son
12. 踢	（动）	tī	to kick
13. 裁判	（名、动）	cáipàn	umpire, judge; to umpire, to judge
14. 看台	（名）	kàntái	bleachers, stand
15. 座位	（名）	zuòwèi	seat
16. 大声	（名）	dàshēng	loud voice
17. 喊	（动）	hǎn	to shout
18. 加油		jiā yóu	to cheer, to step up efforts
19. 比分	（名）	bǐfēn	score
比	（动）	bǐ	to compare

20. 落后	（形）	luòhòu	backward
21. 球星	（名）	qiúxīng	ball-game star
22. 上场		shàng chǎng	to enter the field
23. 修	（动）	xiū	to repair
24. 退休	（动）	tuìxiū	to retire
25. 间	（量）	jiān	*a measure word*
26. 周围	（名）	zhōuwéi	surrounding
27. 安静	（形）	ānjìng	quiet
28. 不久	（形）	bùjiǔ	soon
久	（形）	jiǔ	for a long time
29. 垃圾	（名）	lājī	rubbish
30. 桶	（名）	tǒng	bin, pail
31. 玩儿	（动）	wánr	to play
32. 声音	（名）	shēngyīn	sound
33. 忍受	（动）	rěnshòu	to bear
34. 开心	（形）	kāixīn	happy
35. 日子	（名）	rìzi	day

专 名 Proper Noun

李南	Lǐ Nán	Li Nan

课 文 Texts

课文一 你们可能就要输了

　　我是工人足球队的队员。下星期六，我们要跟大学生足球队在工人体育场进行一场比赛。工人队的水平很高，可是大学生队的水平也不低,我担心我们队会输。昨天下午,我去学校接儿子。小学生们正在操场上进行足球比赛。我儿子也在场上踢球,裁判是他们的体育老师。看台上人很多,我在一个小孩儿旁边找了一个座位。那个小孩儿一直大声地喊"加油"。我问他:"现在比分是多少?"

小孩儿笑了笑说:"我们落后3分,是3比0。"

"真的吗?"我说,"你们可能就要输了,可是你为什么还这么高兴?"

小孩儿说:"我为什么不该高兴?谁说我们就要输了?我们的球星李南还没上场呢。"

"李南是谁?"我问。

"就是我啊!"

课文二　明天我要修房子了

一个退休的老人在学校附近买了一间房子,房子周围很安静,老人过得很舒服。不久,有三个小孩儿开始在房子旁边踢垃圾桶玩儿,声音很大,老人不能忍受。他跟孩子们说:"你们玩儿得真开心。我喜欢你们在这儿玩儿,以后你们再来,我给你们每人一块钱。"三个孩子很高兴。过了三天,老人对他们说:"现在的东西越来越贵,我的钱不多,以后我只能给你们五毛钱。"孩子们还是很高兴地来这儿玩儿。又过了一个星期,老人对孩子们说:"明天我要修房子了,以后我只能给你们两毛钱。""两毛钱?"孩子们很不高兴地说,"我们每天花那么多时间,两毛钱太少了,我们不干了。"

从这天以后,孩子们再也不来踢垃圾桶了,老人又可以过安静的日子了。

汉 字 Chinese Characters

一、生字的结构分析 Structural analyses of the new words.

生字	读音	结构分析	
		部件	笔画和笔顺
工	gōng	工	一 丁 工
足	zú	足	丶 口 口 卩 卩 足
水	shuǐ	水	亅 水 水 水
久	jiǔ	久	丿 夕 久

二、部分生字的部件切分 Segmentation of some of the characters.

1. 低 dī —— 亻 氐
2. 接 jiē —— 扌 立 女
3. 昨 zuó —— 日 乍
4. 台 tái —— 厶 口
5. 座 zuò —— 广 坐
6. 位 wèi —— 亻 立
7. 落 luò —— 艹 氵 各
8. 围 wéi —— 囗 韦
9. 喊 hǎn —— 口 咸
10. 安 ān —— 宀 女
11. 静 jìng —— 青 争
12. 退 tuì —— 艮 辶
13. 休 xiū —— 亻 木
14. 垃 lā —— 扌 立
15. 圾 jī —— 扌 及
16. 桶 tǒng —— 木 甬
17. 玩 wán —— 王 元
18. 忍 rěn —— 刃 心
19. 受 shòu —— 爫 冖 又
20. 修 xiū —— 亻 丨 夂 彡
21. 判 pàn —— 半 刂
22. 油 yóu —— 氵 由
23. 踢 tī —— 𧾷 易

三、常用部件举例 Examples of the common components.

1. 𧾷: 跑 路 踢 跟
2. 门: 问 闹 间
3. 刂: 到 别 刮 判 刚 刻

一、认读练习　**Recognize and read the characters.**

1. 连线识字　Match each character with its corresponding _pinyin_ and draw a line to connect each pair.

水	shòu
永	shuǐ
受	yǒng
爱	bǐ
比	ài
北	tǐ
体	běi
休	wéi
围	guó
国	xiū

2. 根据下列拼音连线组词　Make phrases by matching the given characters according to _pinyin_ and draw a line to connect each pair.

(1) cáipàn　(2) duìyuán　(3) rěnshòu　(4) kāixīn　(5) shēngyīn
(6) zuòwèi　(7) kàntái　(8) ānjìng　(9) tuìxiū　(10) luòhòu

忍	员
裁	台
队	受
看	判
声	心
座	音
开	位
安	后
退	静
落	休

3. 选择合适的汉字填空　Fill in the blanks with the proper characters.

(1) 他特别喜欢＿＿＿＿＿育运动。　　　　（a. 本　b. 体　c. 休）

(2) 不能违反交＿＿＿＿＿法规　　　　　　（a. 桶　b. 同　c. 通）

(3) 请给这位老人让一个＿＿＿＿＿位。　　（a. 坐　b. 做　c. 座）

(4) 请问,＿＿＿＿＿局在哪儿?　　　　　　（a. 油　b. 邮　c. 游）

(5) 他要＿＿＿＿＿房子。　　　　　　　　（a. 修　b. 休　c. 作）

4. 给下列句子注音并朗读　Transcribe the following sentences into *pinyin* and read them aloud.

(1) 你们可能就要输了。

＿＿＿＿＿＿＿＿＿＿＿＿＿＿＿＿＿.

(2) 他也快退休了。

(3) 明天你们不要来了。

＿＿＿＿＿＿＿＿＿＿＿＿＿＿＿＿＿.

(4) 昨天他离开医院了。

＿＿＿＿＿＿＿＿＿＿＿＿＿＿＿＿＿.

(5) 老人又可以过安静的日子了。

＿＿＿＿＿＿＿＿＿＿＿＿＿＿＿＿＿.

二、阅读练习　Reading exercises.

1. 从 A、B、C 中选择符合所给句义的句子　Choose a sentence close in meaning to each of the given statements.

(1) 游泳比赛的时候,体育老师给他们当裁判。(　　)

　　A. 体育老师和他们一起游泳。

　　B. 太极拳比赛的时候,体育老师给他们当裁判。

　　C. 游泳比赛的时候,裁判是他们的体育老师。

(2) 他担心工人足球队会输。（　　）

    A 他担心大学生足球队会输。

    B. 他想工人足球队一定输。

    C. 他担心工人足球队可能会输。

(3) 孩子们玩儿得真开心。（　　）

    A. 孩子们玩儿得很高兴。

    B. 孩子们觉得很舒服。

    C. 孩子们生活得非常快乐。

(4) 声音很大，老人不能忍受。（　　）

    A. 房子周围不安静，老人觉得很不舒服。

    B. 声音很大，老人不可能在这儿生活。

    C. 声音很大，老人不应该在这儿住。

2. 根据课文一回答下列问题　Answer the questions according to Text One.

(1) 工人足球队要跟哪个队进行比赛？

(2) 他去接儿子的时候，小学生正在做什么？

(3) 谁给小学生当裁判？

(4) 小孩儿说的球星是谁？

3. 根据课文二判断正误　Decide whether the following statements are true or false according to Text Two.

(1) 老人买的房子离学校很近。　　　　　　　　　　　（　　）

(2) 周围很安静，老人对自己的房子很满意。　　　　　（　　）

(3) 孩子们踢垃圾桶的声音很大，老人很喜欢他们这样玩儿。（　　）

(4) 老人给孩子们钱，他希望他们常在他房子旁边儿踢垃圾桶。（　　）

(5) 老人给的钱太少了，孩子们不干了，他又可以过安静的日子了。

                                      （　　）

生词总表
Vocabulary

A

癌	（名）	ái	cancer	14
爱情	（名）	àiqíng	love	6
爱人	（名）	àiren	husband (or wife), spouse	1
安静	（形）	ānjìng	quiet	15

B

把	（介）	bǎ	*used when the object is the receiver of the action of the ensuing verb*	13
白	（形）	bái	white	5
白色	（名）	báisè	white colour	5
百	（数）	bǎi	hundred	4
办	（动）	bàn	to apply	8
办法	（名）	bànfǎ	method	10
办公室	（名）	bàngōngshì	office	12
半	（数）	bàn	half	6
帮助	（动）	bāngzhù	to help	4
报到	（动）	bàodào	to report for duty	13
报纸	（名）	bàozhǐ	newspaper	8
北边	（名）	běibian	north	10
比	（动）	bǐ	to compare	15

比分	（名）	bǐfēn	score	15
比较	（副、动）	bǐjiào	comparatively; to compare	9
比赛	（动、名）	bǐsài	to compete; match	14
边	（名）	biān	side	10
别	（副）	bié	don't	8
病	（名、动）	bìng	illness, disease; to be sick	6
病历	（名）	bìnglì	medical record	14
病人	（名）	bìngrén	patient	14
不错	（形）	búcuò	not bad	9
不过	（连）	búguò	but	14
不好意思		bù hǎoyìsi	embarrassed	6
不久	（形）	bùjiǔ	soon	15
部	（名）	bù	department	2
部	（量）	bù	*a measure word*	6

C

裁缝	（名）	cáifeng	tailor	12
裁判	（名、动）	cáipàn	umpire, judge; to umpire, to judge	15
菜	（名）	cài	dish	5
参加	（动）	cānjiā	to attend	7
操场	（名）	cāochǎng	sports ground	9
层	（量）	céng	(*a measure word*) story, floor	10
差	（动）	chà	to (an hour)	6
常	（副）	cháng	often	3
场	（量）	chǎng	(*a measure word*) show	6
唱	（动）	chàng	to sing	13
（车）站	（名）	(chē)zhàn	bus stop	3
吃	（动）	chī	to eat	5

迟到	（动）	chídào	to be late	10
出差		chū chāi	to go on a business trip	12
穿	（动）	chuān	to wear	7
春天	（名）	chūntiān	spring	11
次	（量）	cì	(*a measure word*) time	6
从	（介）	cóng	from	10

D

打算	（动、名）	dǎsuan	to plan; plan	11
打字		dǎ zì	to type	12
大概	（副）	dàgài	probably	9
大家	（代）	dàjiā	everybody, all	7
大棚	（名）	dàpéng	greenhouse	11
大声	（名）	dàshēng	loud voice	15
大约	（副）	dàyuē	about	10
带	（动）	dài	to take	14
担心		dān xīn	to worry	14
单子	（名）	dānzi	form, bill	4
蛋糕	（名）	dàngāo	cake	13
当	（动）	dāng	to be, to serve as	11
当时	（名）	dāngshí	that time	13
导游	（名）	dǎoyóu	tour guide	11
到	（动）	dào	to arrive	2
到处	（副）	dàochù	everywhere	12
得	（动）	dé	to contract (a disease)	14
得	（助）	de	*a structural particle*	8
……的时候		……de shíhou	when	7
得	（能动）	děi	should	12
等	（动）	děng	to wait	3

等候	（动）	děnghòu	to wait	9
低	（形）	dī	low	15
地铁	（名）	dìtiě	subway	2
第	（头）	dì	*a prefix indicating order*	6
点	（动）	diǎn	to order	5
点儿	（量）	diǎnr	(*a measure word*) a little	9
点心	（名）	diǎnxin	dessert	5
电脑	（名）	diànnǎo	computer	3
钓	（动）	diào	to fish	13
丢	（动）	diū	to lose	14
东	（名）	dōng	east	10
东西	（名）	dōngxi	thing	14
冬天	（名）	dōngtiān	winter	11
读音	（名）	dúyīn	pronunciation	9
度	（量）	dù	(*a measure word*) degree	11
度	（动）	dù	to spend (time)	12
锻炼	（动）	duànliàn	to exercise	9
队	（名）	duì	team	15
队员	（名）	duìyuán	team member	15
对	（量）	duì	(*a measure word*) couple, pair	3
对	（介）	duì	toward	8
对……来说		duì……láishuō	as far as ... is concerned	14
多	（形）	duō	many	2

E

儿子	（名）	érzi	son	15
而	（连）	ér	but	12
而且	（连）	érqiě	and	12

F

发烧		fā shāo	to have a fever	14
发现	(动)	fāxiàn	to find	12
发音	(名)	fāyīn	pronunciation	8
发展	(动)	fāzhǎn	to develop	11
罚单	(名)	fádān	fine ticket	8
法规	(名)	fǎguī	rule	8
饭店	(名)	fàndiàn	hotel	7
饭馆	(名)	fànguǎnr	restaurant	5
方便	(形)	fāngbiàn	convenient	10
房子	(名)	fángzi	house	10
放心		fàng xīn	to feel relieved, to rest assured	8
飞机	(名)	fēijī	plane	12
非常	(副)	fēicháng	very	3
肥	(形)	féi	fat	13
肺	(名)	fèi	lung	14
肺炎	(名)	fèiyán	pneumonia	14
分(钟)	(量)	fēn(zhōng)	(a measure word) minute	6
风	(名)	fēng	wind	11
夫妇	(名)	fūfù	husband and wife	10
夫妻	(名)	fūqī	husband and wife, couple	3
附近	(名)	fùjìn	vicinity	10

G

感冒	(动、名)	gǎnmào	to have a cold; cold	6
干	(动)	gàn	to do	12
刚	(副)	gāng	just	8
刚才	(名)	gāngcái	a moment ago	9

高	(形)	gāo	high	2
高尔夫	(名)	gāo'ěrfū	golf	14
高速公路		gāosù gōnglù	expressway	10
高兴	(形)	gāoxìng	happy	2
告诉	(动)	gàosu	to tell	2
歌	(名)	gē	song	13
给	(动)	gěi	to give	4
跟	(介)	gēn	with	12
工人	(名)	gōngrén	worker	15
工艺品	(名)	gōngyìpǐn	handiwork	2
工资	(名)	gōngzī	salary	2
公路	(名)	gōnglù	highway	10
公司	(名)	gōngsī	company	1
公园	(名)	gōngyuán	park	3
古迹	(名)	gǔjì	historical site	11
古玩	(名)	gǔwán	curio	2
故事	(名)	gùshi	story	9
刮	(动)	guā	to blow (wind)	11
拐弯		guǎi wānr	to turn a corner	8
管理	(动)	guǎnlǐ	to manage	11
逛	(动)	guàng	to stroll	3
贵	(形)	guì	expensive	6
国产	(形)	guóchǎn	homemade, domestically produced	5
过	(动)	guò	to pass (time), to celebrate	7

H

| 孩子 | (名) | háizi | child | 1 |
| 喊 | (动) | hǎn | to shout | 15 |

汉字	(名)	Hànzì	Chinese character	8
好吃	(形)	hǎochī	delicious	5
好看	(形)	hǎokàn	good-looking	5
号	(量)	hào	(*a measure word*) date	7
河	(名)	hé	river	13
黑	(形)	hēi	black	5
红	(形)	hóng	red	5
后	(名)	hòu	behind	10
互相	(副)	hùxiāng	each other	3
花	(动)	huā	to spend	6
花园	(名)	huāyuán	garden	10
坏	(形)	huài	bad	14
黄	(形)	huáng	yellow	5
回答	(动)	huídá	to answer	2
汇率	(名)	huìlǜ	exchange rate	4
会	(能动)	huì	to be able to	12
会议	(名)	huìyì	meeting	12
婚礼	(名)	hūnlǐ	wedding	7

J

机票	(名)	jīpiào	air ticket	12
……极了		……jíle	extremely	8
技术	(名)	jìshù	techndogy	11
季	(名)	jì	season	11
季节	(名)	jìjié	season	11
加油		jiā yóu	to cheer, to step up effort	15
家	(量)	jiā	*a measure word*	1
驾驶	(动)	jiàshǐ	to drive	8
驾驶证	(名)	jiàshǐzhèng	driving license	8

间	(量)	jiān	*a measure word*	15
检查	(动)	jiǎnchá	to check	14
健康	(形)	jiànkāng	healthy	13
奖	(动、名)	jiǎng	to reward; award	8
奖金	(名)	jiǎngjīn	bonus	14
交	(动)	jiāo	to hand in	4
交通	(名)	jiāotōng	traffic	8
教	(动)	jiāo	to teach	11
角	(量)	jiǎo	*jiao (one tenth of a yuan)*	4
叫	(动)	jiào	to call, to name	1
教室	(名)	jiàoshì	classroom	8
接	(动)	jiē	to pick up	15
街	(名)	jiē	street	12
结婚		jié hūn	to get married	7
结束	(动)	jiéshù	to finish	6
姐姐	(名)	jiějie	elder sister	1
介绍	(动)	jièshào	to introduce	1
今天	(名)	jīntiān	today	5
进步	(动、形)	jìnbù	to improve; progressive	9
进口	(动)	jìnkǒu	to import	5
进行	(动)	jìnxíng	to carry out	15
近	(形)	jìn	near	10
经常	(形)	jīngcháng	often	9
经过	(名)	jīngguò	to pass	24
经理	(名)	jīnglǐ	manager	2
警察	(名)	jǐngchá	policeman	8
九	(数)	jiǔ	nine	11
久	(形)	jiǔ	for a long time	15
就	(副)	jiù	right away	10

举行	(动)	jǔxíng	to take place	7
决定	(动、名)	juédìng	to decide; decision	4
觉得	(动)	juéde	to feel	9

K

开	(动)	kāi	to write out	8
开车		kāi chē	to drive a car	8
开始	(动)	kāishǐ	to start	8
开心	(形)	kāixīn	happy	15
看病		kàn bìng	to see a doctor	6
看台	(名)	kàntái	bleachers, stand	15
烤鸭	(名)	kǎoyā	roast duck	5
咳嗽	(动)	késou	to cough	14
可爱	(形)	kě'ài	lovely	7
可能	(副)	kěnéng	possibly	14
可是	(连)	kěshì	but	3
刻	(量)	kè	(*a measure word*) quarter (of an hour)	6
客人	(名)	kèren	guest	7
课	(名)	kè	class	8
口	(量)	kǒu	*a measure word*	4
哭	(动)	kū	to cry	14
块	(量)	kuài	(*used as a unit of money*) yuan	4
快	(形)	kuài	fast	3
快乐	(形)	kuàilè	happy	13

L

垃圾	(名)	lājī	rubbish	15
辣	(形)	là	hot, spicy	5
来不及	(动)	láibují	to be unable to do sth. in time	12

蓝	(形)	lán	blue	5
老板	(名)	lǎobǎn	boss	12
了	(助)	le	*a particle*	13
累	(形)	lèi	tired	1
冷	(形)	lěng	cold	3
离	(动)	lí	to leave	10
离开		lí kāi	to leave	13
礼物	(名)	lǐwù	gift	13
理发		lǐ fà	to have a haircut	9
厉害	(形)	lìhai	serious	14
练习	(名、动)	liànxí	exercise; to exercise	8
凉快	(形)	liángkuai	cool	9
量	(动)	liáng	to measure	14
辆	(量)	liáng	*a measure word*	4
聊	(动)	liáo	to chat	14
聊天儿		liáo tiānr	to chat	14
了解	(动)	liǎojiě	to know	14
邻居	(名)	línjū	neighbor	13
零(O)	(数)	líng	zero	4
留学生	(名)	liúxuéshēng	foreign student	1
路	(名)	lù	road	8
旅游	(动)	lǚyóu	to travel, to tour	11
绿	(形)	lǜ	green	5
落后	(形)	luòhòu	backward	15

M

买	(动)	mǎi	to buy	2
满意	(形)	mǎnyì	satisfactory	5
慢	(形)	màn	slow	3

毛	(量)	máo	mao (one tenth of a yuan)	4
贸易	(名)	màoyì	trade	5
没	(副)	méi	not, no	3
没	(动)	méi	not, no	4
没关系		méi guānxi	it doesn't matter	6
没有	(动)	méiyǒu	not have	3
每	(代)	měi	every	6
美元	(名)	měiyuán	US dollar	4
米	(量)	mǐ	(a measure word) meter	10
秘密	(名)	mìmì	secret	13
秘书	(名)	mìshū	secretary	12
蜜月	(名)	mìyuè	honeymoon	12
面试	(动)	miànshì	interview	13
名胜	(名)	míngshèng	scenic spot	11
名字	(名)	míngzi	name	1
明天	(名)	míngtiān	tomorrow	

N

拿	(动)	ná	to take	13
奶奶	(名)	nǎinai	grandmother	14
男	(形)	nán	male	3
南	(名)	nán	south	10
难	(形)	nán	difficult	8
能	(能动)	néng	can, to be able to	12
牛肉	(名)	niúròu	beef	5
农民	(名)	nóngmín	farmer	11
农业	(名)	nóngyè	agriculture	11
努力	(形)	nǔlì	hard	8
女	(形)	nǚ	female	3

女孩儿		nǚ háir	girl	14

P

怕	(动)	pà	to fear	6
排队		pái duì	to queue up	9
排球	(名)	páiqiú	volleyball	9
跑	(动)	pǎo	to run	9
跑步		pǎo bù	to jog	9
便宜	(形)	piányi	cheap	6
片	(名)	piàn	film	6
漂亮	(形)	piàoliang	beautiful	3
品种	(名)	pǐnzhǒng	breed, type	11
聘用	(动)	pìnyòng	to employ	13
乒乓球	(名)	pīngpāngqiú	table tennis	9
平方	(名)	píngfāng	square	10

Q

七	(数)	qī	seven	11
奇怪	(形)	qíguài	strange	3
起床		qǐ chuáng	to get up	10
气温	(名)	qìwēn	temperature	11
千	(数)	qiān	thousand	4
前	(名)	qián	front	10
前年	(名)	qiánnián	the year before last	4
青菜	(名)	qīngcài	green vegetables	5
清楚	(形)	qīngchu	clear	9
情况	(名)	qíngkuàng	condition	14
晴	(形)	qíng	fine	11
秋天	(名)	qiūtiān	autumn	11

球	（名）	qiú	ball	9
球星	（名）	qiúxīng	ball-game star	15

R

然后	（连）	ránhòu	then	13
让	（动）	ràng	to let	7
热	（形）	rè	hot	9
热闹	（形）	rènao	lively, bustling	2
人民币	（名）	rénmínbì	Renminbi	4
人员	（名）	rényuán	personnel	13
忍受	（动）	rěnshòu	to bear	15
认识	（动）	rènshi	to know	3
日元	（名）	rìyuán	Japanese yen	4
日子	（名）	rìzi	day	15
容易	（形）	róngyì	easy	13
肉	（名）	ròu	meat	5
如果	（连）	rúguǒ	if	11

S

散步		sàn bù	to take a walk	13
色	（名）	sè	color	5
山	（名）	shān	mountain	9
伤心		shāng xīn	to be heart-broken	14
商店	（名）	shāngdiàn	shop	2
上	（名）	shàng	superior	3
上	（名）	shàng	previous, last	6
上班		shàng bān	to go to work	2
上场		shàng chǎng	to enter the field	15
上课		shàng kè	to attend a class	8

127

上午	（名）	shàngwǔ	morning	6
生产	（动）	shēngchǎn	to produce	5
生活	（名、动）	shēnghuó	life; to live	10
生气		shēng qì	angry	8
生日	（名）	shēngri	birthday	7
声调	（名）	shēngdiào	tone	9
声音	（名）	shēngyīn	sound	15
省	（动）	shěng	to save	6
失望	（形）	shīwàng	disappointed	12
时候	（名）	shíhou	time	7
时间	（名）	shíjiān	time	6
世界	（名）	shìjiè	world	12
事	（名）	shì	business, thing	6
事情	（名）	shìqing	thing	10
试	（动）	shì	to try	12
收据	（名）	shōujù	receipt	4
手术	（名）	shǒushù	operation	14
售票员	（名）	shòupiàoyuán	ticket seller	3
瘦	（形）	shòu	thin	14
书	（名）	shū	book	8
输	（动）	shū	to lose	14
蔬菜	（名）	shūcài	vegetable	11
帅	（形）	shuài	smart, handsome	12
水平	（名）	shuǐpíng	level	15
睡觉	（动）	shuìjiào	to sleep	8
顺利	（形）	shùnlì	successful	13
司机	（名）	sījī	driver	3
死	（动）	sǐ	to die	14
送	（动）	sòng	to escort	7

酸	(形)	suān	sour	5
岁	(量)	suì	(*a measure word*) year of age	7
孙子	(名)	sūnzi	grandson	13
所以	(连)	suǒyǐ	so	7

T

太	(副)	tài	too	1
汤	(名)	tāng	soup	5
套	(量)	tào	(*a measure word*) set, suite	10
特别	(形)	tèbié	special	9
踢	(动)	tī	to kick	15
体温	(名)	tǐwēn	body temperature	14
体育场	(名)	tǐyùchǎng	stadium	15
天气	(名)	tiānqì	weather	9
甜	(形)	tián	sweet	5
填	(动)	tián	to fill in	4
挑选	(动)	tiāoxuǎn	to choose	12
条	(量)	tiáo	*a measure word*	13
听	(动)	tīng	to hear	13
听说	(动)	tīngshuō	to hear of	13
停	(动)	tíng	to stop	3
通过	(动)	tōngguò	to pass	13
同	(形)	tóng	same	9
同学	(名)	tóngxué	schoolmate	7
桶	(名)	tǒng	bin, pail	15
偷	(动)	tōu	to steal	8
头	(名)	tóu	head	6
突然	(形)	tūrán	sudden	13
图书馆	(名)	túshūguǎn	library	8

退休	（动）	tuìxiū	to retire	15

W

玩儿	（动）	wánr	to play	15
晚会	（名）	wǎnhuì	evening party	13
万	（数）	wàn	ten thousand	4
网球	（名）	wǎngqiú	tennis	9
往	（介、动）	wǎng	towards；to go	10
忘	（动）	wàng	to forget	13
违反	（动）	wéifǎn	to violate	8
为了	（介）	wèile	for	6
为什么		wèi shénme	why	2
问题	（名）	wèntí	problem	4
武术	（名）	wǔshù	martial arts	9

X

西	（名）	xī	west	10
西红柿	（名）	xīhóngshì	tomato	11
希望	（动）	xīwàng	to hope	10
下	（动）	xià	to get off	
下车		xià chē	to get off a vehicle	2
下课		xià kè	to end a class	8
夏天	（名）	xiàtiān	summer	9
先	（副）	xiān	first	4
咸	（形）	xián	salty	5
现在	（名）	xiànzài	now	4
相同	（形）	xiāngtóng	same	9
想	（动）	xiǎng	to want	12
向	（介）	xiàng	towards	10

消息	(名)	xiāoxi	news	14
小姐	(名)	xiǎojie	miss	1
小区	(名)	xiǎoqū	residential quarter	10
小时	(名)	xiǎoshí	hour	6
小学生	(名)	xiǎoxuéshēng	pupil	1
笑	(动)	xiào	to laugh	14
写	(动)	xiě	to write	8
新	(形)	xīn	new	7
新郎	(名)	xīnláng	bridegroom	7
新娘	(名)	xīnniáng	bride	7
星期	(名)	xīngqī	week	7
行	(动)	xíng	to be all right	4
幸福	(形)	xìngfú	happy	7
修	(动)	xiū	to repair	15
需要	(动)	xūyào	to need	6
学费	(名)	xuéfèi	tuition	4
学生	(名)	xuésheng	student	1
学校	(名)	xuéxiào	school	1
雪	(名)	xuě	snow	11

Y

研究	(动)	yánjiū	to research	11
颜色	(名)	yánsè	color	5
养活	(动)	yǎnghuo	to feed, to support	4
样式	(名)	yàngshì	mode, style	5
药	(名)	yào	medicine	6
爷爷	(名)	yéye	grandfather	13
一边……一边……		yìbiān……yìbiān……		
			...while...	6

一定	（副）	yídìng	surely	7
一会儿	（名）	yíhuìr	a little while	12
一下儿		yí xiàr	*used after a verb, indicating an act or an attempt*	1
一样	（形）	yíyàng	same	9
一直	（副）	yìzhí	straight	12
衣服	（名）	yīfu	clothes	7
以后	（名）	yǐhòu	after	6
因为	（连）	yīnwèi	because	13
阴	（形）	yīn	cloudy	11
应该	（能动）	yīnggāi	should	12
营业员	（名）	yíngyèyuán	shop assistant	2
赢	（动）	yíng	to win	14
应聘	（动）	yìngpìn	to apply for a job	2
永远	（副）	yǒngyuǎn	forever	7
游戏	（名）	yóuxì	game	7
友谊	（名）	yǒuyì	friendship	2
有名	（形）	yǒumíng	famous	2
有时候		yǒu shíhou	sometimes	9
有意思		yǒu yìsi	interesting	7
又	（副）	yòu	again	6
右	（名）	yòu	right	10
右边	（名）	yòubian	right	10
幼儿园	（名）	yòu'éryuán	kindergarten	7
鱼	（名）	yú	fish	13
雨	（名）	yǔ	rain	11
语法	（名）	yǔfǎ	grammar	8
元	（量）	yuán	*yuan (a basic Chinese monetary unit)*	4

远	(形)	yuǎn	far	10
月	(名)	yuè	month	7
月份	(名)	yuèfèn	month	11
越来越		yuè lái yuè	the more... the more...	13

Z

再	(副)	zài	again	5
早	(形)	zǎo	early	12
早饭	(名)	zǎofàn	breakfast	8
早上	(名)	zǎoshang	morning	3
怎么	(代)	zěnme	how	7
怎么样	(代)	zěnmeyàng	how	11
张	(量)	zhāng	(*a measure word*) sheet	4
长	(动)	zhǎng	to grow	11
招聘	(动)	zhāopìn	to invite applications for a job	2
着急	(形)	zháojí	worried	10
找	(动)	zhǎo	to look for	2
照相机	(名)	zhàoxiàngjī	camera	13
这么	(代)	zhème	so	6
真	(副)	zhēn	really	6
正在	(副)	zhèngzài	in the process	11
只	(量)	zhī	a measure word	5
知道	(动)	zhīdào	to know	3
职员	(名)	zhíyuán	employee, staff member	1
只	(副)	zhǐ	only	4
中间	(名)	zhōngjiān	middle	10
中式	(形)	zhōngshì	chinese-style	12
中心	(名)	zhōngxīn	center	5
中学	(名)	zhōngxué	middle school	1

终于	（副）	zhōngyú	at last	12
种	（动）	zhòng	to plant	11
重要	（形）	zhòngyào	important	12
周末	（名）	zhōumò	weekend	9
周围	（名）	zhōuwéi	surrounding	15
住院		zhù yuàn	to be in hospital	14
祝	（动）	zhù	to congratulate	7
准备	（动）	zhǔnbèi	to prepare	14
自己	（代）	zìjǐ	oneself	4
足球	（名）	zúqiú	football	15
最	（副）	zuì	most	11
最后	（名）	zuìhòu	the last	13
最近	（名）	zuìjìn	recently, lately	12
醉	（动）	zuì	to be drunk	8
昨天	（名）	zuótiān	yesterday	15
左	（名）	zuǒ	left	10
左边	（名）	zuǒbian	left	10
座位	（名）	zuòwèi	seat	15

专 名
Proper Nouns

B

| 北京友谊商店 | Běijīng Yǒuyì Shāngdiàn | Beijing Friendship Store | 2 |
| 北京语言大学 | Běijīng Yǔyán Dàxué | Beijing Language and Culture University | 1 |

C

| 陈卉 | Chén Huì | Chen Hui | 3 |
| 陈亮 | Chén Liàng | Chen Liang | 3 |

D

| 大卫 | Dàwèi | David | 14 |
| 大中公司 | Dàzhōng Gōngsī | Dazhong Company | 13 |

J

| 加拿大 | Jiānádà | Canada | 1 |
| 建国门 | Jiànguó Mén | *a place in Beijing* | 2 |

L

李爱华	Lǐ Àihuá	Le Aihua	1
李南	Lǐ Nán	Li Nan	15
李秋	Lǐ Qiū	Li Qiu	1

M

| 美国 | Měiguó | the United States | 1 |

S

上海	Shànghǎi	Shanghai
四环路	Sìhuán Lù	Fourth Ring Road

T

田中	Tiánzhōng	Tanaka

W

王京	Wáng Jīng	Wang Jing
王中	Wáng Zhōng	Wang Zhong

X

香山	Xiāng Shān	Fragrant Hill
小华	Xiǎo Huá	Xiao Hua
小文	Xiǎo Wén	Xiao Wen
小冬	Xiǎo Dōng	Xiao Dong
小夏	Xiǎo Xià	Xiao Xia
西直门	Xīzhí Mén	*a place in Beijing*

Y

亚运村	Yàyùn Cūn	Asian Games Village
英语	Yīngyǔ	English
约翰	Yuēhàn	John

Z

张	Zhāng	*a surname*
赵	Zhào	*a surname*

《很好 —— 初级汉语口语》

刘颂浩　马秀丽　宋海燕　詹成峰　编著

　　本丛书是一套适合课堂教学需要、内容精彩、形式活泼的初级口语教材。全书共四册，针对零起点或稍有基础的初学者，编写时充分注意对教材容量的控制，适用于来华学习汉语的中、短期留学生使用。教材以学生最熟悉的课堂生活为主要场景，以一位对外汉语教师和三位留学生贯穿始终，强调人物的性格和事件的关联，以幽默的对话展现人物性格，形成独特的风格。全书场景看起来熟悉，课文读起来亲切，语言学起来实用。

　　每册随书附赠附加手册一本和录音CD一张。

第一册：ISBN 978-7-5619-1944-6　　定价：42.00元
第二册：ISBN 978-7-5619-1968-2　　定价：42.00元

《想说就说 —— 汉语口语完全手册》

英文版　　　　　　　　　俄文版　　　　　　　　　日文版

马箭飞　毛悦　主编

　　本书针对初来中国或有意图来中国旅行、工作或学习的零起点汉语学习者，为其提供在中国学习、生活的全面指南。全书600多个简单句子按照功能分类排列，突出功能性、交际性，另外还附有相关的汉语知识、文化常识、日常标志、名胜古迹等实用性信息。编排条理清晰，便于学习者查询，是初来中国或初接触汉语的外国人的必备汉语手册。

　　本书形式上采用小开本口袋书形式，便于携带，内文四色印刷，生动活泼，另配录音MP3一盘，录有书中全部句子和场景会话内容。目前已出版英、俄、日三种版本，韩文版也即将推出。

英文版：ISBN 978-7-5619-1822-7　　定价：28.00元
俄文版：ISBN 978-7-5619-1921-7　　定价：28.00元
日文版：ISBN 978-7-5619-2001-5　　定价：38.00元

作为国内外知名的对外汉语教学与研究专业出版社，为给广大读者和合作伙伴提供更优质、高效的服务，北京语言大学出版社于2006年9月和12月推出了全新改版的中文和英文网站：

◇ 已发布2000余种语言教学类产品，产品信息不断更新；提供快速检索和产品预览功能。

◇ 支持国际信用卡在线支付和DHL全球快递等多种支付和配送渠道，为用户在线订购图书及音像制品提供极大便利。

◇ 与北语社教材配套的教学资源，如教案、课件、试题、听力资源等也正在网站上不断丰富，为使用北语社产品的教师、学生和经销商提供有力的支持和增值服务。

◇ 已建立快速响应客户服务机制，网站的客服电子信箱、访客留言、产品评论及回复等功能构成了出版社与用户交流互动的平台。

北京语言大学出版社网站

WWW.BLCUP.COM

Open a window into Chinese language and culture

◇ More than 2000 CSL (Chinese as a Second Language) and other foreign language titles are available on BLCUP website.

◇ Blcup.com offers various payment methods. It's easy and safe to make payment online via a VISA or MASTER card.

◇ With DHL Express Courier and other delivery options, Blcup.com can ship to virtually any address in the world.

◇ We appreciate customers' feedback and provide quick response service. If you have a comment, query or support request, please leave a message on *Contact us* page of BLCUP website.